*Les*
# moitiés
# d'Alice

JUDITH ITZI

# Les moitiés d'Alice

Une société de Québecor Média

Catalogage avant publication de Bibliothèque et Archives nationales du Québec et
Bibliothèque et Archives Canada

Itzi, Judith
    Les moitiés d'Alice
    ISBN 978-2-7604-1132-6
    I. Titre.
PS8617.T94M64 2014    C843'.6    C2013-942418-0
PS9617.T94M64 2014

Direction littéraire : Marie-Eve Gélinas
Révision linguistique : Marie Pigeon Labrecque
Correction d'épreuves : Julie Lalancette
Couverture, grille graphique intérieure et mise en pages : Chantal Boyer
Photo de l'auteure : Sarah Scott

## Remerciements
Nous reconnaissons l'aide financière du gouvernement du Canada par l'entremise du
Fonds du livre du Canada pour nos activités d'édition.
Nous remercions le Conseil des Arts du Canada et la Société de développement des
entreprises culturelles du Québec (SODEC) du soutien accordé à notre programme
de publication.
Gouvernement du Québec – Programme de crédit d'impôt pour l'édition de livres –
gestion SODEC.

Les Éditions internationales Alain Stanké
Groupe Librex inc.
Une société de Québecor Média
La Tourelle
1055, boul. René-Lévesque Est
Bureau 300
Montréal (Québec) H2L 4S5
Tél.: 514 849-5259
Téléc.: 514 849-1388
www.edstanke.com

Dépôt légal – Bibliothèque et Archives nationales du Québec et Bibliothèque et
Archives Canada, 2014

ISBN : 978-2-7604-1132-6

**Distribution au Canada**
Messageries ADP
2315, rue de la Province
Longueuil (Québec) J4G 1G4
Tél.: 450 640-1234
Sans frais : 1 800 771-3022
www.messageries-adp.com

**Diffusion hors Canada**
Interforum
Immeuble Paryseine
3, allée de la Seine
F-94854 Ivry-sur-Seine Cedex
Tél.: 33 (0) 1 49 59 10 10
www.interforum.fr

# Première partie

# Les moitiés se sentent seules la nuit

Je contemple les reflets du petit Jésus sur le bout de mes chaussures vernies. Noires, comme ma robe et le ruban dans mes cheveux. Comme le chemisier de maman, sa jupe et le manteau de mamie. On est toutes en noir sauf tante Astrid, celle qui ne fait rien comme tout le monde. Je l'aime bien. Papa dit qu'elle n'est pas équilibrée. Ce n'est pas si grave, moi non plus je ne suis pas très forte en équilibre.

Avant d'arriver à l'église, maman m'a demandé de ne pas utiliser le mot « mort » parce que ça fait de la peine.

— Si tu veux parler de lui, tu peux dire « Archie » ou « le défunt », d'accord ?

Je ne le connaissais pas très bien, Archie. Mamie l'a rencontré il y a trois mois dans sa maison de retraite. Ils sont tombés amoureux, et on est tous allés à la mairie pour leur mariage. Mamie était si belle dans sa robe rose ! Moi et maman aussi. On était toutes habillées en princesses.

Mes chaussures me font mal, comme mes fesses, à cause du banc en bois. Je préfère les mariages, au moins on peut courir et aller se cacher, les invités sont de bonne humeur. Aux enterrements, il faut se taire et les gens ont l'air triste. À part tante Astrid, parce qu'elle croit à la réincarnation. Ça veut dire qu'Archie n'est pas vraiment mort, il est juste parti ailleurs, dans un autre corps ou peut-être sur une autre planète.

Au buffet, mamie pleurait devant le plat à sandwichs vide. Je me suis approchée et je lui ai tendu la moitié qui restait du mien. Elle a secoué la tête, ce qui a fait sortir des petites mèches de son chignon. Ça m'a fait penser à Guibolles, le caniche des voisins.

– T'es triste parce que Archie est défunt pour toujours? je lui ai demandé pour qu'elle se sente moins seule.

Elle m'a regardée à travers ses mèches folles et elle a pris mon demi-sandwich avant de tourner les talons.

Je ne sais pas si je vais réussir à dormir ce soir. Demain, je commence à ma nouvelle école.

◇ ◇ ◇

Je me laisse ballotter par les accélérations et freinages brusques de ma mère et je tente d'ignorer le crabe qui serre ma gorge avec ses pinces. *Même pas peur,* je me répète en boucle. *Même pas peur, même pas peur...* On s'arrête devant les grilles. *Même pas...*

– Allez, ma chérie, passe une bonne journée! fait maman d'une voix presque enjouée qui détonne avec son visage crispé.

Même pas quoi déjà?

Des enfants s'engouffrent par petits paquets dans l'imposante bâtisse. Je me mêle au flot. Lorsque je pénètre dans la classe, précédée par «tête de lapin» - je n'ai pas retenu son nom -, j'affronte courageusement les regards sans gêne, moqueurs ou indifférents des élèves. Puis je m'effondre enfin sur la chaise qu'on me désigne.

Mlle Hicks s'adresse à moi. Elle m'enseignera toutes les matières sauf l'éducation physique et l'histoire-géo.

Elle me demande de me lever et de me présenter. Je bafouille en vitesse mon nom et d'où je viens.

— Très bien. Tatiana, la déléguée, te fera visiter l'école. Bienvenue chez nous, Alice.

La fille en question fait une grimace écœurée dès que Mlle Hicks se tourne. On dirait que les nouveaux ne sont pas si bienvenus que ça à Notre-Dame-des-Neiges.

La fille à côté de moi cache son cahier avec le bras et m'espionne du coin de l'œil. Décidément, ça commence bien.

À la récré, je décide d'aller me réfugier à la bibliothèque. Les livres, au moins, ça ne dévisage pas et ne pose pas de questions. Marthon, la bibliothécaire, me repère et me fait faire le tour des lieux.

La cloche sonne et j'ai envie de me sauver, loin de cette nouvelle école, de cette nouvelle classe, de cette nouvelle vie. Loin de tout ce qui est nouveau. Je pense à ma meilleure amie, Noémie. On va s'écrire, on se l'est promis. Sauf que ce n'est pas pareil. On ne peut plus jouer aux détectives ou faire des farces. On ne peut plus se réconcilier ou se faire des signes secrets que personne ne comprend. Quand on sera grandes, on habitera la même maison, chacune un étage. Et nos enfants seront les meilleurs amis du monde.

◇ ◇ ◇

De retour à la maison, j'attrape une pomme et je file dans ma chambre. Bunny a droit au récit de ma journée et à la moitié du fruit. Je lui explique qu'il a bien de la chance de vivre en cage finalement, parce qu'il n'a pas à aller dans de nouvelles écoles avec des filles qui cachent leur cahier et des garçons qui n'ont aucun intérêt. En plus, quand je rentre le soir, je le laisse se promener dans la chambre et faire ses crottes de lapin partout. Je ne le gronde même pas. Il a de la compagnie pour ne pas s'ennuyer : Hercule et Virgule. Ils sont très chaleureux comme poissons.

Il y avait aussi Billy, l'oiseau blessé, mais je n'ai pas réussi à le sauver.

En rentrant en voiture ce soir, j'ai dit à maman que tout avait très bien été, que j'allais aimer cette école. Tu parles ! Au moins, avant, je connaissais tous les élèves depuis la maternelle. Ici, je suis « la nouvelle », et en plus, il paraît que les nouveaux se font attraper par Sabrina et sa bande qui leur font des bizutages dégueulasses. C'est un petit à lunettes qui me l'a dit et il a failli pleurer juste à y penser. Il a précisé que ce sont des épreuves pour voir si on survivra et qui font regretter d'être arrivé là.

Après mon bain, j'ai téléphoné à tante Astrid en cachette. Parce qu'elle connaît plein de trucs « pas comme tout le monde ». Je lui ai demandé comment on fait quand quelqu'un est plus fort que nous et qu'il va peut-être nous faire quelque chose qu'on n'aimera pas.

— Trouve son point faible, elle a répondu. Observe-la bien, cette personne. Quand t'auras trouvé son petit secret honteux, elle sera désarmée et à tes pieds, ma chouette. Je sais de quoi je parle !

Voilà. Astrid a toujours de bonnes idées. Même si je ne sais pas comment on trouve un point faible.

En m'endormant, je revois Archie mort dans sa boîte. On n'apercevait que le haut de son corps, un couvercle cachait ses jambes. Je me demande s'ils l'ont habillé quand même ou s'il va aller au ciel en sous-vêtements avec ses jambes poilues.

◇ ◇ ◇

La cantine est immense et le bruit qui la remplit aussi.

À côté de moi, il y a une fille rousse qui fouille dans un paquet de chips vide, à la recherche de quelques miettes. Je lui tends la moitié de mon sandwich, elle a l'air surprise.

— Prends-le, je le mange jamais en entier de toute façon. Moi, c'est Alice.

Elle s'en empare avec ses doigts luisants d'huile et elle me sourit.

— Moi, je m'appelle Elisabeth. T'es nouvelle ? Je t'ai jamais vue.

— Mmmh mmmh, je réponds, la bouche pleine.

— J'étais pas sûre parce que je suis souvent absente... à cause de ma maladie.

— Qu'est-ce que t'as ?

— Un truc compliqué. C'est rare, y paraît.

À ce moment-là, Sabrina passe près de nous avec son essaim autour d'elle. Il y en a une qui me montre du menton, et elles se mettent à ricaner.

— T'as déjà eu affaire à elle ? demande Elisabeth.

— Non. Pas encore.

Ma compagne se lèche les doigts minutieusement comme pour faire durer le plaisir du demi-sandwich qu'elle a englouti en deux bouchées. Je me sens en confiance.

— Il faut que je trouve son point faible, un truc sur elle qu'elle veut pas qu'on sache.

Elisabeth, un doigt encore dans la bouche, se fend d'un grand sourire.

— Je crois que j'ai quelque chose qui pourrait ressembler à ça.

La cloche a sonné et j'avais retrouvé un peu d'espoir. Je n'avais pas encore l'information, mais je connaissais maintenant l'endroit où la trouver.

◇ ◇ ◇

J'ai couru tout le long du chemin de retour parce que j'aime sentir mon cœur cogner fort. J'ai déboulé en sueur dans l'entrée et j'ai tout de suite su que papa était arrivé. Tous les souliers étaient bien alignés. J'ai reconnu l'odeur de son manteau, ce mélange de mer et de vieux tabac.

Mon cœur a sauté encore plus fort dans ma poitrine.

Il faut toujours qu'il rentre les jours où j'ai les cheveux sales et des auréoles sous les bras. Chaque fois, je me dis que je devrais cacher une tenue de rechange dans le placard pour quand ça arrive.

J'ai fait ce que j'ai pu pour refaire ma queue de cheval et j'ai gardé les bras le long du corps quand je me suis approchée de lui. Je voyais juste ses cheveux dépasser du fauteuil et sa main posée sur la télécommande exactement au centre de l'accoudoir.

Avec papa, tout est toujours bien à sa place. Tout sauf moi.

— Salut, p'pa.

Pas de réaction. La pub pour les céréales qui rendent les enfants heureux avait couvert ma voix.

— Salut, p'pa !

Un. Deux. Trois.

J'ai remarqué ça depuis son dernier passage à terre : il s'écoule toujours trois secondes avant qu'il se détourne de la télé pour me regarder.

J'ai vu sa main lâcher le boîtier noir, et son visage est sorti de derrière les grosses fleurs orange imprimées sur le fauteuil. Je n'ai pas regardé plus haut que sa bouche le temps qu'il ait fini son inspection. Il y a eu le petit mouvement sur ses joues, cette vague qui roule comme la houle annonçant le mauvais temps.

— Va prendre une douche et reviens quand t'auras l'air de quelque chose.

Le lendemain, j'ai aligné mes souliers, tiré sur mes cheveux jusqu'à sentir la peau du crâne décoller et je n'ai pas couru pour faire battre mon cœur.

Mais quand je suis arrivée, il était reparti.

◇ ◇ ◇

C'est la première heure de classe de l'après-midi, cours d'histoire. Le moment parfait. Je me laisse tomber à terre, faussement évanouie. Je fais ça bien parce que deux filles se mettent à crier. Lorsque j'aperçois M. Dubois s'approcher, avec ses poils qui lui sortent du nez, je reviens vite à moi. J'ai trop peur qu'il me fasse le bouche-à-bouche. On me transporte à l'infirmerie. Je suis tout excitée que mon plan ait fonctionné jusqu'à ce que je réalise que je ne pourrai jamais fouiller les dossiers si facilement. Je ne sais même pas où les trouver! Il me faudrait suffisamment de temps et tomber pile au bon moment, quand l'infirmière sera absente.

— Ça t'est déjà arrivé avant?

Jenny, l'infirmière, est très douce et elle sent bon.

— Non, pas vraiment. Enfin, je crois pas.

Elle continue à m'ausculter tandis que mon cerveau tourne à mille kilomètres-heure.

— Madame?

— Tu peux m'appeler Jenny, si tu veux.

— Jenny, je peux... je... j'aimerais faire du bénévolat ici, à l'infirmerie.

J'ai baissé la tête en attendant sa réponse.

— Du bénévolat? Mais pourquoi?

— C'est que... je ramasse les animaux blessés, mais j'arrive pas à les soigner. Alors je me disais que... si je pouvais voir comment vous faites avec les vraies personnes, peut-être que j'apprendrais des trucs.

C'était vrai en plus !

— Ma foi, je ne sais pas, euh... Alice, c'est ça ? Je vais me renseigner, savoir si c'est faisable. En dehors des heures de classe, bien sûr. Mais en ce qui me concerne, je suis d'accord, je suis même très touchée. Tu as un grand cœur, tu sais.

Bof ! Il ne faut pas exagérer. Au départ, je voulais juste lire un peu le dossier de Sabrina. Parce que Elisabeth a su par une deuxième année que Sabrina a un secret. Un secret médical. La fille l'a su un jour où elles étaient à l'infirmerie en même temps. Sabrina lui a fait jurer de ne jamais rien dire et, après ça, elle est devenue vraiment gentille avec elle, à la place de la torturer comme d'habitude. Elisabeth n'a pas réussi à connaître le secret, la fille avait trop peur.

Voilà, je n'ai peut-être pas un si grand cœur que ça, mais je trouve quand même super de pouvoir apprendre à soigner.

◇ ◇ ◇

Comme papa est reparti, maman propose un repas spécial : plateau-télé avec de la crème glacée « pour une fois »... même si c'est chaque fois.

Dès qu'elle se lève pour aller aux toilettes ou pour répondre au téléphone, je me dépêche de trouver un bol dans la cuisine et j'y verse un peu de ma glace. C'est pour Tigrou, le chat des voisins. Il adore ça, et puis de toute façon je ne finis jamais.

Le docteur a dit que je grandissais bien et que ça allait me passer, de ne jamais terminer mes assiettes. Mais papa, ça l'énerve. Il dit que je le fais exprès pour me faire remarquer. Moi, je ne crois pas. Il n'a qu'à ne pas me surveiller. Et les animaux sont contents d'avoir mes moitiés.

Un jour, tante Astrid m'a raconté une histoire sur les Africains. Là-bas, ils disent qu'avant de venir sur terre on est deux par deux, un garçon et une fille. On est heureux, comme au paradis. Sauf qu'un jour notre mère se retrouve enceinte, et on doit quitter le ciel et notre moitié pour être son enfant. Elle est contente, et nous, un peu tristes.

Quand je n'ai plus faim, je regarde le reste de nourriture dans mon assiette et je pense à cette histoire. À ma moitié qui est quelque part au ciel ou elle aussi sur la Terre.

◇ ◇ ◇

Je me tiens encore au centre du terrain. Il ne reste plus que moi et Timothée Pilon. De chaque côté, les équipes sont formées. D'un bord, le chef est Ernest « rien dans la tête, tout dans les jambes » ; de l'autre, c'est Sabrina la tortionnaire.

— C'est qu'un jeu, je chuchote à mon compagnon d'infortune.

Timothée pince les lèvres pour ne pas pleurer, et moi je gèle. Je ne sais pas ce que j'ai le plus en horreur : ces jeux de ballons idiots ou les shorts obligatoires.

M. Maurice siffle.

— Allez, les enfants, on va pas y passer la journée ! Ernest ?

Toujours aussi inexpressif, ce dernier nous évalue de la tête aux pieds avant d'arrêter son choix.

— Timothée, avec nous !

Sabrina grimace. Voilà, je vais devoir me battre aux côtés de mon cauchemar. En bon petit soldat, je devrai attraper le ballon s'il passe près de moi, dribler et même le lancer en direction du panier... inatteignable.

À la moindre maladresse, mes chances de survie seront anéanties : Sabrina joue son honneur, c'est-à-dire sa vie, sur le terrain de basket.

La catastrophe n'a pas tardé à se produire. Le ballon m'a prise pour cible, et je me suis recroquevillée en petite boule pour limiter les dégâts. L'équipe adverse a marqué le point de la victoire, et Sabrina m'a inscrite sur sa liste noire. Dans le vestiaire, elle m'a dévisagée froidement avant de mimer une gorge tranchée avec son pouce.

◇ ◇ ◇

Pendant l'heure d'anglais, un nouveau est arrivé. Il a dit qu'il s'appelait Alex. Il a les cheveux devant les yeux et les mains dans les poches. Mlle Hicks l'a placé à côté de moi, dans l'autre rangée, et j'ai vu qu'il avait une cicatrice au-dessus du sourcil. C'est peut-être pour la cacher qu'il laisse ses cheveux en travers de son visage. La bande à Sabrina n'arrête pas de se retourner et de glousser. Émilie s'est même pris une punition. Moi, je reste discrète, ce n'est quand même pas un animal de cirque... et puis, je sais ce que ça fait d'être un nouveau.

À la récré, j'aurais voulu aller lui parler. Lui dire que moi aussi j'étais nouvelle, enfin un peu moins que lui, mais pas vraiment à ma place. Sauf que Sabrina et ses copines ont foncé vers ce joujou potentiel, alors je suis allée m'asseoir dans un coin de la cour. Là d'où on peut voir le plus d'oiseaux. Timothée Pilon s'est avancé vers moi. Il avait l'air d'attendre je ne sais trop quoi.

— Salut ! je lui ai dit.

— Sa... salut ! il a bégayé.

Avec ses lunettes, sa taille de moustique et ses vêtements trop grands, il me faisait penser à un lutin qui se ferait passer pour un humain.

— Tu veux quelque chose ? j'ai demandé.

Il a hoché la tête avant de répondre, très sérieux.

— Tu veux être mon... mon amie ?

J'ai failli éclater de rire, mais à le voir rougir et baisser la tête, je me suis retenue.

— Timothée, ça se demande plus, ça, surtout à huit ans. C'est bien trop bébé !

J'ai cru qu'il allait pleurer, alors je me suis dépêchée d'ajouter :

— Je te dis pas ça parce que je veux pas, Tim. Je te le dis pour que tu sois au courant.

Il frottait le sol du bout de sa chaussure.

— Mais oui, je veux bien être ton amie. C'est d'accord.

Soudain, il a eu l'air de la personne la plus heureuse sur terre et il est reparti. La cloche a sonné, et j'ai remarqué qu'Alex n'était plus avec la bande nuisible.

*Tant mieux,* j'ai pensé. *Il les a plantés là, ces parasites !*

◊ ◊ ◊

Papa est de retour, j'ai vu ses chaussures dans l'entrée. Alors j'ai déposé les miennes bien droites, à côté des siennes, et j'ai essayé de remettre dans mon élastique les cheveux qui s'en étaient sauvés.

— Pourquoi tu n'en prends pas, Alice ? il a demandé en montrant le rôti de bœuf du bout de sa fourchette.

— Elle ne mange plus de viande, a soupiré maman.

Papa a brusquement planté son couteau en plein milieu du rôti comme s'il le tuait, sauf qu'il était déjà mort.

— Quand est-ce que cette petite sera comme tout le monde, nom d'un chien ?

Il a pointé son doigt pointu vers moi.

— Faut toujours que tu te fasses remarquer, hein ? Des moitiés de ceci, des pas de cela... Plus y a d'abondance et plus ça joue les difficiles ! Je devrais t'emmener à la job, tiens... Te montrer c'est quoi, le vrai monde.

Il a jeté sa serviette sur la table et il est parti s'enfermer dans le bureau. Mon cœur est devenu tout petit et tout dur.

Maman a commencé à débarrasser en secouant la tête, ce qu'elle fait toujours quand elle est contrariée.

Les jours suivants, j'ai essayé de me rattraper. Je ramassais mes affaires, je m'habillais bien et, lorsque c'était possible, je cachais les moitiés que je ne mangeais pas.

Quand papa est reparti, maman m'a exposé son plan.

— Tu sais, ton père a quand même raison, tu fais de drôles de choses et c'est possible de changer cela. On peut aller voir un spécialiste qui va t'aider à tout remettre comme il faut.

— Un spécial... iste ? j'ai grimacé.

Elle m'a dit le genre de spécialiste, et j'ai sauté de joie. C'était un de ceux qui descendent dans les grottes, dans le ventre de la terre, et j'ai trouvé ça très excitant.

— Non, pas un spéléologue ! a gloussé maman. Un psy-cho-lo-gue, elle a articulé.

— Ah ?

J'étais tellement déçue.

— Mais tu sais, c'est un peu pareil au fond. Sauf que la grotte, c'est toi !

Ma mère sait comment rendre les choses intrigantes pour qu'on ait envie de les explorer.

◇ ◇ ◇

Le nouveau, Alex, est nul en classe et super bon en sport. Au basket, il fait gagner n'importe quelle équipe. Sabrina essaie toujours d'être du même côté que lui, mais je crois qu'il a remarqué son petit jeu. Il l'ignore.

Ça m'a donné une idée. Comme dit Astrid, « il faut toujours se faire des alliés dans la vie ». Des alliés, c'est comme des amis qui veulent la même chose que toi. Toi, tu les aides, et eux, ils t'aident.

À la récré, j'ai tenté ma chance. Alex était tout seul, comme d'habitude, dans un coin de la cour.

— Salut ! j'ai lancé en essayant d'avoir l'air sympathique.

— Qu'est-ce que tu veux ? il a répondu en me regardant à peine.

— Ça t'arrive de dire « bonjour » ou « salut » quand on te parle ?

*C'était peut-être pas une bonne idée,* je me suis dit, *il commence déjà à m'énerver.*

— Écoute, si c'est pour amuser tes copines que tu viens me niaiser, oublie-moi, OK ? il a lâché.

— J'en ai pas vraiment, des copines, t'as pas remarqué ? je lui ai répondu sur le même ton.

— Ouais, possible. Pis ? C'est quoi que tu veux ?

— Laisse tomber. Rien... C'était pas une bonne idée.

Je lui ai tourné le dos pour partir et il m'a retenue par l'épaule.

— Qu'est-ce qui était pas une bonne idée ?

J'ai essayé de me dégager.

— Vas-y, je vais pas te manger, il a insisté. C'est juste que je m'intéresse pas aux petites niaiseuses... Et finalement, je pense pas que t'en sois une.

— Ah ouais ? Merci, je lui ai dit froidement.

Je me suis calmée et j'ai pris mon courage à deux mains pour lui proposer le marché.

— J'ai besoin de m'améliorer au basket, et toi t'as besoin d'un coup de main en classe... enfin, je pense.

Il ne fallait pas le vexer vu qu'il n'était déjà pas commode.

Il a hoché la tête en attendant la suite.

— Donc on pourrait faire un échange...

Il n'a pas répondu tout de suite. Il donnait des petits coups de chaussure contre l'arbre à côté de nous.

— Ça pourrait m'intéresser... mais je veux savoir pourquoi.

— Pourquoi quoi ?

— T'as pas *vraiment* besoin du basket pour réussir ton année. Donc y a un truc que tu me dis pas.

Il était plus intelligent qu'il en avait l'air.

Il a relevé la tête d'un coup et a planté ses yeux dans les miens. Il avait de beaux yeux, en fait.

— Tu serais pas en train de me... d'être amoureuse ou un truc comme ça ?

Je me suis sentie rougir, c'était n'importe quoi.

— Même pas en rêve !

Pour qu'il me croie, j'ai dû lui dire la vérité.

— Je veux prendre ma revanche sur Sabrina...

Ça l'a bien fait rire. Je ne sais pas s'il se moquait carrément de moi, mais l'important, c'était qu'il avait accepté.

◇ ◇ ◇

Dans le bureau du monsieur, j'ai dessiné pendant que maman lui racontait plein de trucs sur moi et sur notre famille. Il posait beaucoup de questions et, à un moment donné, je crois qu'elle parlait de grossesse, d'accouchement et tout ça quand elle a commencé à s'agiter et à marmonner.

— Vous semblez nerveuse, madame Fillières.

J'ai levé la tête de mon dessin. Le spéléo la dévisageait de ses yeux aiguisés. Moi aussi, ça m'aurait chatouillé les nerfs. Elle lui a fait des signes de la main en mimant des mots avec sa bouche.

Il m'a demandé de sortir.

Plus tard, lorsque maman m'a rejointe dans la salle d'attente, elle avait la mine renfrognée.

— Viens, on s'en va !

— C'est fini ?

— On n'y retournera pas... en tout cas pas chez lui ! Quel incompétent !

Je ne sais pas ce qu'elle n'a pas aimé, mais moi non plus il ne m'inspirait pas, le gros joufflu, parce qu'il n'avait pas vraiment l'air d'un aventurier des profondeurs.

◇ ◇ ◇

On est samedi après-midi et j'attends. Sur le terrain de basket vide.

Penser à cette première leçon et au nouveau qui doit arriver d'une minute à l'autre me donne mal au ventre.

Les mots de tante Astrid me reviennent : « Si tu te sens mal à l'aise dans n'importe quelle situation, demande-toi : de quoi as-tu peur, Alice ? Parce que tout revient toujours à la peur. Et si tu connais ta peur, alors tu peux l'affronter. »

Je me force à faire l'exercice, au moins ça passe le temps.

*De quoi as-tu peur, Alice ?* De quoi ai-je peur ? Je n'ai pas peur, enfin je ne crois pas... *Tsst tsst tsst,* j'entends dans ma tête, et je sais qu'Astrid dirait cela.

Bon d'accord, j'ai peur d'être ridicule. C'est vrai, quoi, c'est le nouveau, je ne le connais pas et je suis nulle au basket !

— Et puis après ? Si tu étais ridicule, ce serait si grave que ça ?

Incroyable, c'est comme si Astrid était réellement là à me répondre.

— Non, ce serait pas si grave, mais... gênant, horriblement gênant, je m'entends dire à ma tante invisible.

— Bien, voilà ce que tu vas faire. Efforce-toi d'être la plus ridiculement ridicule possible. Fais-le exprès. Ça te guérira de ta peur !

Je savais qu'elle allait dire ça et je le redoutais. Je commence à grimacer pour trouver une porte de sortie à ce dialogue imaginaire lorsque Alex apparaît au coin de la rue.

Je fais semblant de rattacher mes lacets pour avoir l'air occupée.

— Salut !

— Salut.

Il me regarde sans sourire, le ballon sous le bras.

— Alors, euh... ça va ? Je... On...

Quelle horreur, cette bouillie de mots ! Astrid serait contente.

— Ouais.

La conversation, ce n'est pas son fort, apparemment.

Il commence à dribler puis me lance le ballon. Je l'attrape... presque.

— Ça aiderait si tu gardais les yeux ouverts quand le ballon arrive sur toi, fait Alex.

— Ah ouais, c'est sûr. Sauf que je fais pas exprès, ils se ferment tout seuls.

Ridicule. Merci, Astrid, je crois que tu m'as inspirée.

— On va commencer par ça. Je lance, t'attrapes.

Je me concentre tellement à garder mes yeux grands ouverts que je dois avoir l'air d'un poisson. Mais c'est vrai que ça marche, le truc des yeux.

Il me montre ensuite comment dribler. J'y arrive bien, sauf quand il faut marcher en même temps.

Après deux heures de ridicule, on va boire à la fontaine.

— C'est vrai que t'es pas très douée, va falloir travailler dur.

— Mouais, je sais, je réponds en baissant les yeux.

— C'est pas pour te décourager que je te dis ça... T'es motivée, alors... ça devrait aller, dit Alex en s'essuyant la bouche.

— Merci.

On ne dit plus rien, on regarde la rue en face, les gens qui passent.

— Pourquoi tu... t'as changé d'école ? je finis par lui demander.

— On a déménagé, il répond un peu brusquement. Ma mère et moi, il ajoute.

— Ah...

J'ai envie de poser d'autres questions, mais je n'ose pas.

— Moi aussi, je vis avec ma mère... presque toujours. Parce que mon père travaille sur les bateaux. Les bateaux de guerre. Il est jamais là...

— Les bateaux de guerre ?

Ça a l'air de l'impressionner.

Comme je ne sais plus quoi dire, je me mets à m'agiter, et il croit que c'est parce que je dois y aller. En vrai, j'avais encore un peu de temps.

— Bon ben, salut !

— Ouais, salut.

Sur le chemin vers la maison, je sautille. J'ai appris à jouer au ballon, j'ai été ridicule, je ne suis pas morte, et Alex est plus sympa qu'il en a l'air.

◇ ◇ ◇

Aujourd'hui, on retourne faire de l'exploration de grottes.

— C'est une nouvelle technique, me dit maman. Com-por-te-men-tale. Pas besoin de raconter sa vie, on cible le problème et on agit en conséquence.

Ça ne me dit rien du tout, et on est loin des aventures souterraines.

Cette fois-ci, c'est maman qui sort du bureau et je reste seule avec la dame. Elle est plutôt sympathique et pas trop vieille. On parle un peu et elle m'explique la « stratégie ». Ensuite, elle fait revenir ma mère.

On n'en avait pas reparlé avant le souper, et je ne savais pas ce qu'elle en avait pensé.

J'ai tâté le terrain pour voir.

— Maman, tu sais, son truc à la *spy* ?

— Oui ?

— C'est complètement débile !

Elle s'est arrêtée net, la fourchette dans les airs avec une pomme de terre au bout, et elle a soupiré.

J'ai continué mon exposé.

— Elle croit qu'elle va me rendre normale en me forçant à manger des moitiés de moitié de moitié de pomme !

Elle a laissé sa main retomber et le morceau de patate s'est écrasé dans son assiette.

— Tu as compris au moins ? Tu manges un seizième de ta moitié pas mangée, et le lendemain tu augmentes à un huitième...

Elle a commencé à sourire tout en ajoutant :

— Puis au quart de la moitié pas mangée et...

Là, maman a franchement éclaté de rire et moi aussi. On n'arrêtait plus.

— Des seizièmes de huitième de quart !

— Moi, je veux bien essayer des moitiés de petit pois alors !

On en pleurait.

Je mimais le découpage minutieux de mes miettes de pain, et elle n'arrêtait pas de s'esclaffer avec la main devant sa bouche.

— Oh ! Oh, Alice !

Depuis ce soir-là, elle ne m'a plus embêtée avec les spécialistes. Je devrais juste rester discrète quand mon père serait là et elle avait même décidé de m'y aider.

◇ ◇ ◇

Je n'ai pas vu Elisabeth depuis plusieurs jours, elle est allée passer des tests à l'hôpital. Dommage, j'aime la retrouver à la cantine et la regarder dévorer son repas en trois bouchées. Moi, ça me prend des heures juste pour en avaler la moitié.

J'aurais bien aimé lui raconter les histoires de l'infirmerie. Je sais maintenant où sont les dossiers et la clé du tiroir, mais je n'ai pas encore pu y jeter un œil parce qu'on a été bien occupées, Jenny et moi. J'ai appris à faire un pansement pour une entorse et à désinfecter une plaie. J'ai aussi vu Jenny embrasser M. Maurice, le prof d'éducation physique.

Il y a quelques filles de ma classe qui ont commencé à venir me parler. J'ai compris qu'elles n'osaient pas trop, vu que Sabrina ne m'avait pas encore réservé son « traitement spécial ». Et comme elles ne veulent pas y goûter elles aussi en étant amies avec moi, elles restent distantes.

Cette fille est une vraie maladie, il faut absolument que je trouve le vaccin.

◇ ◇ ◇

On s'est donné rendez-vous chez moi parce qu'il n'y avait pas d'autre endroit. L'école est fermée la fin de semaine et, chez lui, Alex préfère qu'on n'y aille pas. Quand j'ai dit à maman qu'un ami venait étudier, elle s'est mise à me fixer en souriant bêtement, comme quand elle regarde les films romantiques à la télé. Je lui ai dit d'arrêter, que ce n'était même pas un ami, mais ça lui a fait faire encore plus d'airs pleins de sous-entendus.

J'étais vraiment nerveuse en attendant Alex. J'avais *encore* peur !

Peur qu'il me trouve débile avec tous mes animaux et mes peluches. J'en ai mis quelques-unes dans l'armoire, parce que je ne suis plus un bébé.

Quand il est arrivé, il a tout de suite remarqué Bunny. Il a voulu le prendre dans ses bras et lui donner à manger. Je n'avais jamais vu Alex comme ça, même qu'il souriait. Je lui ai aussi montré Suzie, ma nouvelle protégée. Une petite araignée très mignonne qui a une patte en moins.

On s'est mis à parler d'un tas de choses.

— J'avais un chien avant... a commencé Alex.

— Là où t'habitais ?

— Ouais...

— ...

— Mais mon chien, Zoom, un jour il est parti.

— Parti comme ça ?

— Ouais.

Il tirait sur le cordon de son kangourou, et je ne voyais que la moitié de son visage à cause de ses cheveux.

— Moi, j'aurais fait pareil à sa place, a continué Alex, les yeux dans le vague. Avec tous les coups de bâton qu'il se prenait...

Comme je ne savais plus quoi dire, j'ai proposé de commencer les leçons.

En fait, il est intelligent. C'est juste qu'il ne faut pas lui expliquer comme la prof, sinon il ne comprend rien. Je lui ai fait des dessins et je lui ai montré des images de Google. Ça a bien fonctionné.

— Merci, Alice. C'était cool...

— De... de rien... c'est...

Ah non, ça n'allait pas recommencer, le bafouillage ! Il a souri, et je me suis rattrapée.

— Reviens voir Bunny quand tu veux, je pense qu'il t'aime bien.

— OK. Salut !

Dès qu'il a franchi la porte, je me suis enfermée dans ma chambre et j'ai enfoui ma tête dans les poils de mon lapin en me demandant pourquoi je me sentais si légère.

◇ ◇ ◇

Mamie F. habite à une heure de chez nous. On ne va pas la voir souvent, sauf quand elle nous invite, comme aujourd'hui. C'est presque ma seule grand-mère parce que l'autre, je ne la connais pas.

On est entrées dans la résidence Les Flocons : centre pour aînés et retraités. On a marché dans un couloir interminable et pris un ascenseur. Enfin, on a trouvé sa chambre au troisième, et maman m'a laissée toquer. Mamie a ouvert la porte, toute belle dans sa robe grise avec ses cheveux mauves. Derrière elle, un monsieur est apparu.

— Oh non ! Pas encore... a dit maman entre ses dents.

Je crois qu'elle en a assez que mamie tombe amoureuse.

On s'est assis tous les quatre, mamie et son ami Albert sur le lit, ma mère et moi dans les fauteuils. Personne ne parlait, alors j'ai brisé la glace.

— Mamie, est-ce que toi et Albert allez vous marier ?

Maman s'est tortillée sur son siège tandis que mamie regardait Albert dans les yeux en souriant.

— Eh bien, justement... a commencé mamie.

— Maman, je t'interdis de te marier à nouveau ! s'est exclamée ma mère. Y en a marre, des enterrements.

— Oh ! Mais tu ne peux pas... tu es ma fille après tout. Tu n'as pas à m'interdire quoi que ce soit ! a rétorqué mamie.

Maman a levé les yeux au plafond, exaspérée.

— Ce sont mes derniers pas, a ajouté mamie. J'arrive au bout du chemin... tu ne veux pas me voir heureuse ?

— Arrête avec ton bout du chemin ! Évidemment que je veux te voir heureuse, c'est bien ça, le problème !

Albert est sorti sur la pointe des pieds, et je l'ai suivi. Je suis allée me promener dans le couloir. Quand il y avait une porte ouverte avec une vieille madame ou un vieux monsieur tout seuls, je leur faisais coucou. Des fois, ils me demandaient d'approcher et me posaient des questions ou encore me donnaient des bonbons.

J'étais assise sur le bord du lit d'Henriette, une mamie qui me racontait de super histoires, quand ma mère est apparue sur le pas de la porte.

— Je te cherchais partout, Alice !

— Je suis là.

— Oui, je vois bien que t'es là ! On s'en va ! Bonsoir, madame.

Henriette a souri, il lui manquait une dent. Je lui ai fait bye-bye de la main tandis que maman me tirait par l'autre.

— Elle va se marier finalement, mamie ?

Ma mère a soupiré et elle a encore secoué la tête. J'ai compris que j'allais une fois de plus avoir droit aux rubans, à la robe et aux souliers vernis.

◇ ◇ ◇

Mercredi, la chance m'a enfin souri. À l'infirmerie, il y avait un petit de première année couché à cause d'un mal de tête et M. Maurice est passé voir sa chérie. Elle lui a chuchoté :

— Je ne peux pas maintenant, y a du monde.

Il voulait qu'elle vienne boire un café dans la salle des profs, alors, quand il est reparti, mine de rien, j'ai lancé :

— Moi, je peux rester avec le petit, ça me dérange pas.

Jenny a eu l'air surprise, mais je crois qu'elle était trop amoureuse pour refuser.

— Si on me demande ou s'il y a quoi que ce soit, tu viens me chercher, d'accord ?

— Pas de problème, je peux faire ça, j'ai répondu sans lever les yeux du livre d'anatomie que je commençais à connaître par cœur.

Plus une seconde à perdre ! J'ai refermé la porte et demandé au petit de tousser s'il entendait du bruit dans le couloir. Je lui ai promis ma collation en échange de sa collaboration.

Tout a été très vite. J'ai trouvé les dossiers des élèves de troisième année. Ceux de ma classe. Et enfin celui de Sabrina Lavoie. Je tremblais de partout, mais c'était excitant comme dans les films de gangsters. Et tout à coup, c'était là. Noir sur blanc. Le truc qui allait me sauver la vie. J'ai tout rangé comme c'était et j'ai remercié ma bonne étoile, qui avait enfin décidé de briller.

◇ ◇ ◇

Pourquoi, quand quelque chose se met à bien aller dans ma vie, est-ce que ça cafouille ailleurs ?

À la maison, papa est rentré parce qu'il s'est blessé au travail : une mauvaise foulure. Une fois dans ma chambre, je m'aperçois que la maison de Fifi n'est plus là. J'ai recueilli cette adorable souris il y a deux jours, blessée par Tigrou, le chat d'à côté. Je m'occupe bien d'elle grâce à mes apprentissages à l'infirmerie. Je ne l'ai pas montrée à maman, mais je crois qu'elle a remarqué la boîte en carton et n'a rien dit.

Elle épluche des carottes lorsque je déboule dans la cuisine.

— Maman, j'avais une boîte dans ma chambre et... je la trouve plus!

Elle a l'air ennuyée.

— Vois ça avec ton père, ma chérie.

J'entre discrètement dans le salon, où mon père regarde *sa* télé. Je me tiens derrière son fauteuil.

— Papa?

J'ai encore parlé trop bas. C'est toujours avec lui que ma voix choisit de rester cachée au fond de ma gorge.

— PAPA?

— Quoi?

Il n'aime pas être dérangé pendant les émissions de sport, mais il faut que je sache.

— La b... Y avait une boîte dans ma chambre et...

— Je m'en suis débarrassé. C'est plein de maladies, ces cochonneries. Je ne veux pas de ça à la maison!

Mes jambes deviennent molles.

— Tu l'as... tu... tu... ée? j'articule avec peine.

— Bien entendu. Pas de ça ici, compris?

S'il daignait tourner son regard vers moi plutôt que de rester hypnotisé par l'écran, il assisterait à un naufrage.

Je marche jusqu'à ma chambre en automate. Je me couche en petite boule pour empêcher mon cœur de voler en morceaux. Mon père, mon propre père est un monstre. Il n'a pas seulement tué Fifi, il vient de tuer mon amour pour lui.

◇ ◇ ◇

— Je déteste les militaires.

Je suis assise sur le ballon de basket, et Alex me regarde de haut. On est seuls sur le terrain.

— Ah ouais?

— ...

— Qu'est-ce qu'ils t'ont fait?

— Ils tuent tout le monde.

— Ben ça, c'est pas nouveau. Alors, on joue ou quoi?

Je hausse les épaules.

— Pis vu que t'es pas en forme, je te laisse me battre, il ajoute.

Je me lève d'un bond.

— J'ai pas besoin de ta pitié, j'suis capable de te battre!

— Alors montre-moi ça!

J'attrape le ballon et file aussi vite qu'une souris vers le panier, en driblant. Et je marque le point.

Alex me regarde en souriant.

— Ouais, pas mal!

On joue encore et encore, et je finis par oublier tout le reste.

Décidément, Alex est un magicien.

◇ ◇ ◇

Je comprends que le jour B est arrivé parce que Sabrina et sa bande n'arrêtent pas de loucher dans ma direction et de se chuchoter des trucs. Le jour B, le jour noir du bizutage. Je ne suis pas trop inquiète, grâce à mon arme secrète dégotée à l'infirmerie. Mais je reste sur mes gardes et je prie pour que mon plan fonctionne.

Mon sixième sens ne m'a pas menti. Juste après le cours de gym, Emma - le colosse de la bande, plus grande et plus large que tout le monde, même les garçons - me bloque dans le vestiaire. Toutes les autres filles sont sorties, et la petite troupe arrive, Sabrina en tête. Elle a un rictus horrible sur le visage, comme les assassins dans les films d'horreur.

— Alice Fillières, c'est à ton tour. Si tu m'obéis, tout ira bien... enfin, tout ira moins pire ! elle me souffle en plein visage.

— Faut que je te parle. Seule à seule, j'ajoute en gardant la tête haute.

— Y a pas de négociation qui tienne, les filles restent.

— Faut que je te parle d'un truc *personnel*, j'insiste.

— Qu'est-ce que tu racontes ?

Elle m'attrape par le haut du tee-shirt et m'écrase contre le mur.

— Malformation congénitale, ça te dit quelque chose ? je lui réponds, en essayant de me montrer sûre de moi.

Elle pâlit d'un coup, jette un regard en arrière vers ses suivantes et fait comme si de rien n'était, sauf que sa voix n'est plus la même.

— T'as droit à une minute en privé, pas une de plus, elle me lance tout bas.

Puis elle s'adresse aux autres sans se retourner.

— Dégagez d'ici, je vous appellerai !

Les filles ne comprennent rien, mais comme elles ont l'habitude d'obéir, elles sortent sans poser de questions.

— Qu'est-ce que tu sais ? Vas-y !

Sabrina est maintenant toute rouge.

— Malformation congénitale, mamelon manquant du côté gauche...

— Si tu parles, je te tue, elle marmonne entre ses dents, ses yeux de dragon exorbités.

— Si tu me touches, je parle ! je réplique, en soutenant son regard.

— Ah ouais ? Et qui te croira ?

— Je leur donnerai assez d'indices pour qu'ils aient des soupçons. Pourquoi tu te changes toujours dans les toilettes ? Toute l'école le saura, Sabrina n'a qu'un sein ! Sabrina n'a qu'un...

Elle blêmit, et j'adoucis un peu ma voix.

— Tu nous laisses tranquilles, moi et mes amis, et je me tais. Mon silence contre la paix. Tu m'oublies, je n'existe plus pour toi, et ton secret reste un secret...

Elle me tend la main d'un air dégoûté, je lui tends la mienne et on scelle notre pacte.

Je ressors du vestiaire le sourire aux lèvres et en un seul morceau. C'est un exploit !

La petite bande nuisible doit se poser bien des questions. Leur chef vient d'encaisser sa première défaite.

◇ ◇ ◇

Tout a changé depuis ce jour-là. Sabrina ne me regarde plus, ne me parle plus, je n'existe plus pour elle. C'est ma plus belle victoire depuis des mois, peut-être même des années. Dans ma vie, il y aura eu le jour où j'ai marché pour la première fois, le jour où j'ai perdu une dent, le jour où j'ai fait du vélo sans les petites roues et le jour où je me suis débarrassée de Sabrina en étant plus maligne qu'elle.

J'ai donné ma démission à Jenny l'infirmière. Je crois que ça l'arrange parce qu'elle peut s'enfermer avec M. Maurice quand il n'y a pas de malades.

Je passe toutes les récrés avec ma bande : Alex, Tim et Elisabeth - quand elle n'est pas en train de se faire soigner.

Au début, Alex n'aimait pas trop Timothée à cause de sa peur de tout : du noir, des orages, de ce qui a les yeux rouges - du lapin au vampire - et des klaxons de voiture. Moi, je sais qu'il n'a juste pas eu beaucoup de chance depuis qu'il est né et je le coache pour qu'il soit plus sûr de lui.

Chaque jour, je lui donne un défi et il le relève. Les peurs, c'est comme les bêtes sauvages : il faut les apprivoiser tranquillement et après elles deviennent nos amies.

Un jour, avant qu'on soit une vraie bande, je venais d'envoyer Tim passer trois minutes dans les toilettes la lumière éteinte quand Alex est venu me demander :

— Qu'est-ce que tu fais avec Timothée Pilon ?

— Je le soigne.

— Ah.

Alex est comme ça, une fois qu'il sait de quoi il retourne, il n'a plus besoin de poser de questions.

Comme le jour où sa mère lui a annoncé :

— Mets tes affaires dans cette valise, on s'en va dans un foyer pour femmes.

— Est-ce qu'on va revenir ?

— Non.

— Ah.

Maintenant, on est les quatre battements du cœur. Quand il y en a un, les autres suivent. Et même quand Elisabeth est absente, on l'entend quand même. C'est ça, être inséparables.

◇ ◇ ◇

Je suis assise entre papa et maman sur le canapé. On regarde tous les trois la télé, et je me dis qu'il y en a qui vivent ça tous les jours. Mon cœur bat vite tellement je ne suis pas habituée.

J'ai dû m'endormir parce que j'ai senti papa me soulever dans ses bras et m'emmener dans mon lit. Comme une princesse. Il ne m'a pas donné de baiser, il a juste dit « Bonne nuit » en fermant la lumière.

Demain, il repart. Sa cheville est guérie.

◇ ◇ ◇

Aujourd'hui, on est juste Alex et moi pendant la récré. Elisabeth ne vient plus à l'école et Tim se fait poser des broches. On est bien quand même, assis sous notre arbre.

Je regarde ses yeux bruns qui s'emplissent d'étoiles dorées lorsqu'ils sont au soleil.

— Est-ce que tu crois qu'avant on était deux en un... et qu'on a perdu notre moitié ?

— ...

— Et que, toute notre vie, on la cherche ?

— Je sais pas. J'y avais jamais pensé, il répond en caressant le sol du dos de la main.

Autour de nous, ça court, ça crie. Nous, non. On est simplement bien.

— Et qu'est-ce qui se passe si on la trouve, notre moitié ? demande Alex.

— Alors plus rien ne peut nous arriver ! je lui réponds.

Il se met à me regarder de côté, les yeux plissés.

— Tu serais pas en train de me *cruiser* ?

— Ben non ! Jamais de la vie ! Tu pourrais pas être ma moitié, t'es pas à la hauteur !

Je bondis sur mes jambes et me mets à courir, tandis qu'Alex me prend en chasse.

— Attends un peu, sale microbe, j'vais te montrer qui est pas à la hauteur !

◇ ◇ ◇

Je suis en admiration devant l'étagère d'animaux miniatures en verre.

La chambre d'Elisabeth est pleine de trésors, parce qu'elle adore faire des collections. Vu tout le temps qu'elle passe dans son lit, ça lui permet d'avoir des choses intéressantes à regarder.

Ses yeux s'agrandissent en apercevant le paquet de chips que je sors de sous mon chandail. Sa mère ne veut plus qu'elle en mange, alors je lui en apporte en cachette.

— T'as l'air en forme, je lui dis même si ce n'est pas vrai.

Parce que Astrid m'a expliqué que, lorsqu'on exprime quelque chose de positif à quelqu'un, ça lui fait automatiquement du bien.

Elisabeth, la bouche déjà pleine, sourit.

— C'est ça, mon remède miracle. J'en peux plus des légumes vapeur !

— Tout va bien, les filles ? fait la voix de sa mère à travers la porte.

— Oui ! on s'exclame en pouffant de rire.

Elisabeth est devenue ma meilleure amie. Comme Noémie dans mon autre vie, celle d'avant le déménagement.

— Tu seras guérie quand ?

— Bientôt.

On a écouté de la musique, et elle s'est endormie.

La prochaine fois, j'apporterai deux paquets de chips pour qu'elle se remette deux fois plus vite.

◊ ◊ ◊

Ce matin, lorsque je me suis levée, c'est tante Astrid que j'ai trouvée dans la cuisine.

Je ne suis pourtant pas à l'émission *L'échange de mamans*, sinon ce serait une inconnue qui ferait griller mon pain.

— Ta mère est à l'hôpital, ma chouette. Elle va bien... Elle a simplement fait une fausse couche.

J'ai vu une couche dans ma tête et j'ai essayé de construire une histoire qui m'éclairerait sur la présence de ma mère à l'hôpital et son lien avec la fabrication de fausses couches. Je n'ai pas réussi. Astrid a dû le deviner parce qu'elle s'est assise pour être à la bonne hauteur d'yeux. Elle fait toujours ça, et j'aime bien parce qu'on dirait qu'alors les mots vont au bon endroit.

— Une fausse couche, ça veut dire qu'il y avait un bébé dans son ventre, mais il n'était pas bien accroché, alors il est sorti... Ta mère a saigné et elle a compris que le bébé était parti. Elle sera peut-être un peu triste en rentrant...

— Je savais pas qu'il y avait un bébé dans son ventre !

Je me suis demandé si ça comptait quand même comme un frère ou une sœur, même si je ne le verrai jamais.

Astrid a poursuivi.

— C'était tout neuf, le bébé. Il était très petit, tu sais, minuscule, peut-être un centimètre ou deux.

Je l'écoutais attentivement en émiettant mon pain grillé. J'étais plutôt contente de la nouvelle, parce que je ne serais plus fille unique. *Un centimètre ou deux, ça compte finalement,* je me suis dit.

— Elle rentre quand, maman ?

— Aujourd'hui, je pense.

Je suis allée m'habiller, et comme c'était Astrid qui me conduirait à l'école, j'ai mis ma jupe mauve avec des collants jaunes et un chandail vert.

— Belles couleurs, ma crevette ! a lancé ma tante en me voyant.

Elle avait déjà ramassé les restes sur la table et n'a fait aucun commentaire sur la moitié de toast que j'avais laissée.

— C'était une fille ou un garçon ? j'ai demandé en montant dans la voiture.

— Qui ça ? Ah oui... On ne le sait pas, il était trop petit. T'aurais mieux aimé une fille ou un garçon, toi ?

J'ai haussé les épaules, mais j'ai décidé de lui donner un nom. Clara. Ma sœur Clara qui est partie dans une rivière de sang et qui ne faisait qu'un centimètre ou deux. Est-ce qu'ils l'ont mise à la poubelle, ma petite sœur ?

◇ ◇ ◇

À la fin de la journée, tante Astrid m'attendait à la sortie. Elle n'a rien dit jusqu'à ce qu'on ait tourné le coin de la rue du dépanneur.

— Ta mère est rentrée, elle est couchée.

Je l'ai regardée très fort pour entendre les mots cachés dans sa tête.

— Elle est très fatiguée et, euh...

— Et elle est triste parce que le bébé est parti, j'ai terminé à sa place.

Astrid m'a passé la main dans les cheveux. Elle aussi avait l'air triste.

— T'as déjà eu un bébé, toi ? j'ai lancé entre deux bouchées de barre tendre.

Elle a sursauté.

— Je... Non, Alice. Tu le saurais si j'avais eu un enfant, non ?

— Mmmh, j'ai répondu.

On n'a reparlé que lorsque j'ai eu terminé la moitié de ma collation, ce qui veut dire longtemps après.

— Même pas un de deux centimètres ?

Astrid a éclaté de rire.

— T'es un drôle d'oiseau, ma chérie !

— Quel genre d'oiseau ? j'ai demandé, en jouant celle qui est vexée.

— Un cacatoès de la planète des rigolodons !

Et on a ri en se faisant plein de grimaces.

— Tu serais une chouette maman, Astrid.

Elle s'est arrêtée de rire et même de me regarder. Sa lèvre du dessous s'est mise à trembler.

Parfois, on dit de belles choses qui font de la peine. N'empêche qu'Astrid serait une maman formidable.

Je suis entrée dans la chambre sans faire de bruit. Maman avait tiré les rideaux, et je ne voyais que ses cheveux dormant sur l'oreiller. Sa voix est sortie de sous les couvertures.

— Viens là, ma puce…

J'ai grimpé sur l'édredon et je me suis blottie contre elle. Je l'ai entendue renifler et je l'ai serrée plus fort encore.

On est restées collées jusqu'à l'heure du souper. Finalement, Astrid est venue nous chercher, sinon je crois qu'aucune de nous deux n'aurait eu la force de bouger.

Personne ne parle autour de la table. Maman a les yeux gonflés avec beaucoup de violet en dessous. Elle ne bouge presque pas, on dirait une momie. Astrid se ronge les ongles parce qu'elle a envie de fumer, et moi, je fabrique des boules de mie de pain que je laisse glisser le long de ma cuillère-toboggan jusqu'à la soupe froide.

— Maman ? Je t'aime… je dis tout bas.

De grosses larmes roulent sur ses joues, et elle essaie de me sourire. J'imagine bébé Clara à côté d'elle.

Je me demande si ma sœur est devenue un ange ou une étoile de mer.

◇ ◇ ◇

Depuis quelques mois, à la maison, je quitte le salon avant la fin des films qui jouent à la télévision. Maman croit que c'est parce que je suis fatiguée. Que je deviens assez sage pour écouter mon corps. En vrai, ça a commencé par hasard. Un jour où papa était là.

Le film finissait quinze minutes plus tard que mon heure de couvre-feu et, avec mon père, il faut *toujours* respecter les règles. Sur le coup, j'étais vraiment frustrée et, pour m'endormir, je me suis inventé une fin. Le lendemain, quand maman m'a raconté comment le film se terminait, j'ai été très déçue. Ma fin à moi était bien meilleure.

Alors j'ai répété l'expérience exprès. Pour pouvoir créer mes fins d'histoire à moi.

Et puis je me suis mise à les raconter aux filles de la classe, et maintenant elles en redemandent.

Aujourd'hui, j'ai concocté une histoire d'amour d'après le film d'hier, sauf que, au lieu d'une belle fin, le prince meurt d'une leucémie et la princesse décide de se suicider.

Mon auditoire habituel est suspendu à mes lèvres et je suis assez fière de moi : il y en a trois qui pleurent. Malheureusement, Mme Pinson pointe le bout de son long nez.

— Eh bien, qu'est-ce que je vois là ? La petite Alice qui torture ses amies... qui les fait pleurer !

— C'est pas ce que vous croyez, madame ! je rétorque.

— Je ne crois rien, mademoiselle, je constate.

À cause de Mme Pinson, je n'ai pas pu faire mon « débriefing » tout de suite.

Ça aussi, c'est grâce à mon père.

Depuis que je suis toute petite, quand il dit : « Alice, débriefing », on s'assoit dans la cuisine et il pose des questions.

Il paraît qu'il a commencé quand je n'avais même pas deux ans.

J'utilise la même technique pour perfectionner mes fins.

J'ai attendu la récréation suivante pour avoir les détails.

Parmi mes pleureuses, Mathilde a dit que c'est parce que son grand-père vient de mourir du cancer, Julie s'entraîne à pleurer sur commande pour être actrice plus tard, et il y a seulement Anna qui a versé des larmes en se croyant dans l'histoire.

Je me demande si les deux premières comptent quand même. Il faudrait que je pose la question à Alex.

◇ ◇ ◇

J'entre dans la chambre d'Elisabeth. Il fait sombre à part au plafond, où scintillent des étoiles multicolores. J'ai toujours rêvé d'avoir une lampe qui fabrique la Voie lactée.

Mon amie est étendue, un genre de Belle au bois dormant précoce.

Tandis que j'admire sa collection de sculptures en chewing-gum, ses mots me font sursauter.

— Ça va, toi et Alex ?

— T'as une sale tête, t'es verte comme une grenouille, je lui réponds en grimpant à côté d'elle.

— Je sais ! T'es jalouse, hein ? Pouvoir rester au lit plutôt que de passer la journée à l'école…

— Faut que je te raconte…

Je lui dis tout à propos des histoires de l'école et presque rien au sujet d'Alex parce qu'il n'y a rien à dire.

Ça se voit qu'elle est contente que je sois là malgré son teint verdâtre et ses yeux rentrés. Elle ne mange même plus les chips que je lui apporte.

— Est-ce que tu vas mourir ? je lui demande en prenant sa main.

— Oui.

On se tait, assises tête contre tête comme deux siamoises.

De toute façon, si on meurt, c'est qu'on a fini de vivre. C'est tante Astrid qui le dit.

◊ ◊ ◊

J'ai encore plus mal aux pieds dans mes souliers vernis que le jour de l'enterrement d'Archie.

Il y a un papillon qui n'arrête pas de voleter autour du cercueil, et je suis sûre que c'est Elisabeth.

Elle est tellement belle en rouge et jaune !

Plusieurs filles de l'école sont venues, même si aucune n'était son amie.

Avec Alex et Tim, on se tient collés pour empêcher les larmes de déborder.

Est-ce que les enfants qui meurent continuent à grandir ?

Je fais coucou au papillon joyeux. Il me dit de ne pas être triste, qu'avec ses ailes il peut aller au bout du monde et même revenir.

Bon voyage, Elisabeth.

◊ ◊ ◊

Astrid est venue passer la soirée avec moi parce qu'on est jeudi et que maman assiste encore à une conférence, comme chaque mois. Quand elle rentre de ces soirées, elle a les yeux rouges et la bouche pincée.

Moi, je ne pense pas que je continuerais d'aller à des conférences qui donnent envie de pleurer. Peut-être que là-bas ils ne racontent que des fins tristes comme dans mes histoires.

On est en train de préparer une sauce à spaghetti, et j'ai de la tomate jusqu'aux coudes. J'aime bien les soirées avec Astrid parce qu'on fait des trucs « pas comme tout le monde ».

— On va lui faire une surprise, à ta mère. Quand elle arrivera du centre, on...

Elle s'arrête soudainement.

— Le centre de quoi ? je lui demande en touillant la mixture dans le bol.

— Le... le centre de... Là où elle va, quoi !

Elle s'essuie le front avec son bras et se retrouve barbouillée d'une grande trace rouge tomate. Je ne lui dis pas tout de suite et j'essaie de ne pas rire. Elle a une drôle de tête depuis cette histoire de centre, et je n'ose pas lui demander quelle surprise on va préparer.

On a attendu le retour de maman, cachées derrière le canapé, les lumières éteintes. Elle est entrée sans bruit, et j'ai foncé sur elle en criant pendant qu'Astrid rallumait la lampe. On s'était fait un maquillage d'Indiennes avec la sauce tomate et on a ligoté maman pour lui faire la même chose. Au début, elle nous disait d'arrêter, mais elle s'est finalement laissé faire. Après, on lui a fait manger de la glace à la vanille à la petite cuillère, et nous, on a pioché dans le pot avec les doigts. On riait tellement que les larmes d'Astrid ont fait couler la tomate dans son cou.

On a fini dans le bain. Même s'il était trop petit pour nous trois, on s'est serrées comme des sardines. À la fin, l'eau était toute rouge.

C'était ma meilleure soirée depuis vraiment longtemps.

◇ ◇ ◇

Grâce aux entraînements avec Alex, je m'améliore sérieusement au basket.

Et je ne suis pas la seule à le remarquer parce que je ne suis plus l'avant-dernière à être choisie lors de la formation des équipes.

Mais pour Tim, c'est une torture. Il n'entend toujours son nom qu'à la toute fin. C'est sûr, vu qu'il n'arrive pas plus haut que l'épaule du deuxième plus petit de la classe. L'avant-dernier maintenant, c'est Marco, à cause de son surpoids. Je suis contente de progresser, mais je commence à en avoir marre de cette ségrégation. « Ségrégation », c'est un mot qu'on a appris en cours d'histoire et qui veut dire : mettre des personnes à l'écart parce qu'on ne les aime pas à cause de leur couleur. Ou bien parce qu'elles ne sont pas bonnes en sport.

Aujourd'hui, j'ai envie que ça change.

On est encore une dizaine à ne pas avoir été sélectionnés lorsque Sabrina m'appelle.

— Alice, avec nous.

— Si je viens, c'est avec Tim, je lui réponds. Aujourd'hui, c'est deux pour un !

Les autres se mettent à rire. Mais Sabrina n'a pas l'air de trouver ça drôle et elle choisit quelqu'un d'autre. Le chef de l'autre équipe me prend avec Tim, et on gagne la partie. Sabrina est verte en rentrant dans les vestiaires.

Je retrouve Alex à la sortie.

— C'était cool, ce que t'as fait pour Tim, il me lance, l'air de rien.

— T'as vu comme il était heureux après le basket, pour une fois ! En plus, on a gagné… je réponds, encore tout excitée par la victoire.

Comme d'habitude, Alex a les mains dans les poches et les yeux dans le vague.

— Ça te tente d'aller au parc ? je lui demande, parce que j'ai plus envie de rester avec lui que de rentrer.

— Maintenant ?

— Ben... ouais.

— OK.

Il est comme ça, Alex, il ne pose pas de questions.

On s'est assis sur un banc, et c'est arrivé presque par hasard, sans le faire exprès. Après le baiser, on a parlé et regardé les gens passer. Tout était comme avant et rien n'était comme avant. Je sentais mon cœur qui cognait fort dans ma poitrine, une vague de chaleur des pieds à la tête et une envie de rire sans raison. Alex ne devait pas être trop normal non plus parce qu'il a trébuché, il s'est retrouvé par terre et il s'est mis à rire comme un fou. Il se roulait dans l'herbe, et je me suis laissée tomber sur lui. On a continué à rouler pour finalement s'allonger côte à côte sur le dos. Ma main était dans la sienne, et on est restés comme ça jusqu'à ce qu'il fasse noir.

Je suis rentrée à la maison en courant parce que j'étais sacrément en retard et aussi parce que j'avais des ailes. Maman m'a grondée un peu, mais ce n'était vraiment pas grave.

◇ ◇ ◇

Aujourd'hui, Astrid est restée manger avec nous. Je passe devant la porte du salon en allant à la salle de bain, et je l'entends parler de moi.

— Il faut que tu lui dises la vérité, Édith. Les secrets de famille, ça fait des trous dans le cœur.

Quel secret ?

— Elle est trop petite. Elle ne comprendrait pas, répond maman.

Comprendre quoi ?

— Tu la sous-estimes.

Un point pour Astrid !

— Et toi, tu n'as pas d'enfant !

Aïe. Un point partout.

Comme je n'entends plus rien, je décide de glisser la tête dans l'entrebâillement pour voir. Astrid a des larmes plein les joues. Maman s'approche et l'entoure de ses bras.

— Excuse-moi.

Compteurs à zéro.

Astrid renifle.

— Ta fille est un bijou, tu sais.

Je les ai laissées et je suis allée faire couler mon bain.

C'est quoi, ce secret ?


Je tourne et tourne dans mon lit parce que ça tournoie dans ma tête.

Il n'y a rien de pire, pour s'empêcher de dormir, que de penser à un secret qu'on ne vous a pas dit.

◇ ◇ ◇


Je réfléchis très fort et, finalement, je me dis qu'il faut que je découvre ce que maman fait à ses conférences. Ça me donnera sûrement une piste.

Comme demander conseil à Astrid est hors de question vu qu'elle semble faire partie du complot, je pense à Alex. On est samedi, et je ne peux pas attendre alors je décide de l'appeler.

C'est sa mère qui répond, puis elle me le passe.

— Ouais ?

— C'est moi, Alice.

— Salut... Pis, c'est quoi qu'y a ?

Alex n'aime pas le téléphone.

— Il faut que je découvre un truc, un genre de secret... et je sais pas comment.

— ...

— Allo ?

— Ouais, je réfléchis, répond Alex. T'as pensé à espionner au téléphone?

— Personne en parle, même pas au téléphone.

— ...

— Tu réfléchis encore, là? je demande.

— Mmmh... T'as pensé à une filature?

— C'est quoi, une filature?

— Comme dans les films, c'est quand tu suis quelqu'un sans te faire voir.

— Ah bon. Mais si l'autre part en voiture, ils font quoi, les fila... turiers?

— Ils suivent avec leur voiture ou bien ils se cachent dans celle du suspect.

— Super! Merci, Alex!

J'ai le sourire fendu jusqu'aux oreilles. C'est sa voix ou la réponse à ma question?

◇ ◇ ◇

On est jeudi. Ce soir, maman va à une « conférence ». Le hic, c'est tante Astrid. Il faut que je trouve une astuce pour que ni elle ni maman ne me voient me faufiler dehors.

Je n'ai pas à réfléchir longtemps, ma bonne étoile vient de m'entendre. Je suis aux toilettes, et ma mère me dit à travers la porte qu'Astrid ne pourra pas arriver tout de suite. Je dois passer une demi-heure seule à la maison.

— Ça ne t'ennuie pas, ma puce?

— Non, y a pas de problème, maman, je suis assez grande...

Merci, merci, merci, bonne étoile.

— Oui, t'as raison. Mais j'aime mieux te savoir en bonne compagnie. Bonne soirée, ma puce.

— Bonne soirée, m'man, amuse-toi bien à ta conférence.

Là, je dois jouer serré. J'ai devant moi mon « centi-mètre cube de chance » - comme dit papa - et pas plus de dix secondes pour réfléchir. Maman part chercher quelque chose dans la cuisine, et je file dehors en douce, avec la couverture que j'ai cachée dans la penderie de l'en-trée. J'avais pris soin d'oublier mon cahier d'algèbre dans la voiture en rentrant de l'école pour pouvoir y retourner sans maman et laisser la portière déverrouillée.

Je me jette sur le sol en arrière, emmitouflée dans la couverture, et je prie pour que maman :

1) ne me cherche pas dans la maison pour un der-nier bisou. Qu'elle me croie encore aux toilettes ou quelque chose du genre ;

2) ne remarque pas la couverture derrière son siège.

Je l'entends monter et démarrer. J'en déduis que les réponses à mes prières sont 1) Non, et 2) Non, tout est OK.

On roule longtemps et puis on s'arrête pour de bon. Je compte jusqu'à dix après le départ de ma mère avant de sortir enfin de ma cachette. On est dans un genre de parc privé. En face de moi, il y a un immense bâtiment dans lequel je la vois entrer. Au-dessus de la porte, je lis : Résidence Les Hirondelles.

Dans quoi je me suis embarquée ? Mais il est trop tard pour reculer. Je prends une grande inspiration et marche jusqu'à l'entrée. Il y a une dame derrière une vitre et un panneau « Accueil ».

— Bonjour, ma petite, est-ce que je peux t'aider ?

Je bafouille puis réussis enfin à répondre.

— C'est ma mère qui vient d'entrer, je... je suis sa fille !

— Parfait. Au bout du couloir, tu tournes à gauche. Chambre 102.

Je marche vite en regardant par terre, car je n'ose pas croiser le regard des gens. Il y a du monde en uniforme comme dans les hôpitaux et aussi des personnes bizarres. Il y en a qui parlent toutes seules et d'autres qui font de drôles de gestes comme se taper la tête ou se balancer en marmonnant. Quelqu'un se met à crier, et j'ai vraiment peur. Enfin, j'arrive devant la porte 102. Elle est entrouverte, et j'y vois maman de dos, face à un enfant.

Je ne sais pas ce qui se passe, tout se met à bouger au ralenti, même moi. Je m'avance vers le garçon. De plus en plus près, jusqu'à pouvoir le toucher. Je n'entends plus aucun son. Je ne vois que son visage et ses grands yeux. Je me sens disparaître à l'intérieur d'eux. Tout en lui me fascine. Mes doigts glissent sur ses joues, sur ses lèvres. J'entre dans un tourbillon qui m'aspire. Je disparais.

Ce n'est que lorsque je sens la main de maman sur mon épaule que le son et le rythme normaux reprennent. Je reviens sur terre et m'aperçois que je pleure. En me tournant vers ma mère, je vois qu'elle aussi. Elle nous prend dans ses bras - le garçon et moi - et elle nous berce en continuant de verser des larmes. Elle répète : « Mes petits, mes tout petits. »

Je ne comprends rien à ce qui se passe, mais tout à coup je suis bien. Je ne veux plus bouger. Maman me caresse les cheveux, et le garçon fait de drôles de sons. Finalement, elle se met à parler.

— Alice, voici ton frère, Thomas. Ton frère jumeau. Je vous ai portés tous les deux et...

Elle se mouche avant de poursuivre.

— À votre naissance, vous étiez si beaux ! Mais le cerveau de Thomas a...

Le corps de maman tremble et mon monde aussi.

— ... manqué d'air. Quelques secondes de trop.

Elle se remet à pleurer. On reste encore longtemps comme ça, collés tous les trois. Thomas bave un peu. Je lui tiens la main et je n'arrête pas de lever la tête pour le contempler.

Une infirmière vient nous demander de partir, l'heure de visite est terminée.

Dans la voiture, je m'assois correctement, car je n'ai plus besoin de me cacher.

Maman m'explique des choses que je n'entends qu'à moitié tellement je pense à Thomas.

— … j'étais si épuisée… ton père a… comme toujours…

Ses mots se mélangent avec le visage de mon frère qui flotte devant mes yeux.

— … ne sera jamais normal…

J'entends les battements de mon cœur.

— C'était si dur de ne pas pouvoir t'en parler ! Mais…

La voix de maman va au rythme du paysage qui défile, trop vite.

— … On ne t'a rien dit pour ne pas te perturber.

Je ne vois pas comment avoir un jumeau aurait pu me perturber, même s'il bave ou ne parle pas.

Mais je ne suis pas en état de comprendre quoi que ce soit de toute façon.

En nous voyant rentrer à la maison, Astrid n'arrête pas de jurer, elle parle d'inquiétude et de maison vide. Je les laisse s'expliquer, maman et elle. J'attrape une pomme et je fonce dans ma chambre pour réfléchir à ma vie qui vient de basculer.

Je revois Thomas, ses grands yeux comme les miens, son nez. Sa bouche. Ses cheveux.

Je veux qu'il vienne vivre avec nous.

Mon frère, Thomas, mon jumeau. Ma moitié.

Mon regard se pose sur le trognon que j'ai distraitement déposé sur la table.

Je viens, pour la première fois de ma vie, de manger une pomme en entier.

◊ ◊ ◊

Nos pieds se balancent dans le vide et ils touchent presque l'eau.

Thomas rit en regardant les nuages. Il pousse des petits cris très jolis.

Il ne vit pas avec nous, mais il peut venir les samedis. On l'a décidé, maman et moi.

On est là, tous les quatre, sur le ponton en bois. Mon frère, moi, Alex et Tim. Et il y a les battements de cœur d'Elisabeth. Même si elle est ailleurs, je l'entends quand même.

On est tous là. C'est ça, être inséparables.

# Deuxième partie

# Les momies ont du vent dans la tête

L'été est passé sans qu'on s'en aperçoive. Trop occupés à être ensemble. À être heureux. À être inséparables.

C'était comme manger la meilleure crème glacée du monde dans un pot qui resterait toujours plein.

Lorsque l'ombre de la rentrée s'est mise à planer, je flottais sur un nuage.

Jusqu'à ce qu'il soit réduit en miettes. Et des miettes de nuage, ça ne fait pas flotter très longtemps.

Un jour, tante Astrid m'a expliqué que, sur la Terre, tout est lié à tout. Qu'un battement d'ailes de papillon au Québec peut provoquer une tornade en Chine.

Une tornade, on ne la voit pas arriver. Le ciel peut être bleu et, la seconde d'après, ta maison peut être détruite.

Tout ce que j'ai vu arriver, c'est la rentrée. Avec les journées interminables, le remplissage de cerveau, les fesses qui s'aplatissent sur la chaise, les Sabrina qui font la loi.

On est au pied de notre arbre de ralliement, et je réalise que les vacances nous ont abandonnés pour de bon.

Tim se ronge les ongles, Alex ne sourit plus derrière ses cheveux. Moi, j'ai, d'après maman, une tête de *condamnée à perpétuité.*

Je lorgne Sabrina et sa bande. Elles sont occupées à comparer leurs bronzages. Toujours aussi infréquentables.

La cloche sonne la mort de nos derniers instants de liberté.

◇ ◇ ◇

Cette année, notre professeure s'appelle Kristina Kinder. Elle a un accent bizarre qui vient d'Allemagne, il paraît. Elle dit que, dans son pays, la discipline est très importante et qu'on devra s'y habituer, parce qu'elle ne tolérera pas d'écart de conduite.

Ce n'est pas une très bonne façon de nous faire oublier la fin des vacances.

Elle ajoute qu'on a de la chance d'aller à l'école, qu'il y a plein de pays où les enfants ne peuvent pas y aller. C'est à ce moment qu'une voix de garçon dit tout fort : « Quelle chance ! »

Le visage de Mme Kinder vire au rouge, et elle met les poings sur ses hanches.

— Qui a dit ça ? elle demande d'une voix menaçante.

Ceux qui s'étaient mis à rire se taisent.

La prof commence à gesticuler en postillonnant. Elle parle des pays en guerre et des personnes qui ne mangent pas à leur faim. Elle dit même des mots en allemand, ou en tout cas dans une langue qui n'est pas très chaleureuse pour les oreilles.

Thomas, même s'il ne vient pas d'un pays en guerre, n'ira jamais à l'école. Je me demande si c'est agréable, de vivre dans un monde où il n'y a pas de mots.

C'est un premier jour plutôt hostile. On a peur de bouger parce que, chaque fois qu'on fait tomber quelque chose ou qu'on gigote un peu, Kristina Kinder nous fusille des yeux.

En début d'après-midi, je prétexte une migraine fulgurante pour aller souffler à l'infirmerie.

Et revoir Jenny.

Elle m'accueille à bras ouverts, mais je remarque ses yeux rougis et son teint pâle.

— T'as pas passé un bel été ? je lui demande.

C'est alors qu'elle se met à sangloter.

— Si, si, elle hoquette. Merveilleux, même !

Je m'approche d'elle.

— Moi aussi, ça me rend malade d'être de retour ici, je lui dis pour la réconforter.

Elle renifle.

— Ce n'est pas ça... C'est... Momo...

— Momo ?

— Maurice !

Elle s'effondre sur le bureau, la tête dans les bras.

Ça se soigne comment, un cœur brisé ?

Je repasse dans ma tête les scènes de films où pareille situation se produit et je ne trouve rien de mieux à faire que de lui mettre une main sur l'épaule et de lui tendre un mouchoir. Ça a l'air de fonctionner, Jenny s'apaise.

— Excuse-moi, Alice, je ne devrais pas me montrer comme ça devant toi.

Je ne sais pas quoi répondre, alors je l'embrasse sur la joue.

Elle sourit, s'essuie le visage et se tourne vers moi.

— Et toi ? Dis-moi ce qui ne va pas. C'est ta tête, c'est ça ?

J'acquiesce tandis que Jenny me déchiffre.

— Il y a autre chose, n'est-ce pas ?

Nouvel acquiescement de ma part.

— Je crois que je suis devenue allergique à l'école.

Elle hoche la tête, tout à fait sérieuse.

— Ça arrive, elle répond.

55

— Et... ça se soigne ?

La porte s'ouvre brutalement. Apparaît un surveillant portant un élève blessé.

Je reste prise avec ma maladie.

L'école, c'est comme laver nos rêves à la mauvaise température. On les plonge dans les choses sérieuses, et ils finissent par rétrécir.

Avec ma bande, au bord de l'eau, je voyais l'avenir et c'était beau.

Il a suffi d'une demi-journée en classe pour que je commence à voir flou. Mes rêves me quittent pour aller vivre dans la tête de quelqu'un d'autre. Quelqu'un qui ne s'occupe pas d'orthographe ou de mathématiques. Je les comprends. C'est pareil pour les animaux. En cage, ils ne vivent plus vraiment. Ils font semblant uniquement pour nous faire plaisir.

À la sortie de l'école, Tim, Alex et moi, on est restés muets. On était trop désespérés pour discuter.

◇ ◇ ◇

Maman chantonne dans la cuisine, et il y a des fleurs sur la table.

D'habitude, on entend dire que travailler est fatigant et que les gens préféreraient être en vacances tout le temps. À la voir, on croirait que c'est plutôt le contraire. Elle a recommencé à travailler, et secrétaire dentaire semble être le plus beau métier du monde.

Durant le souper, elle me raconte sa journée. Ses yeux brillent, elle ne cesse de sourire. Tant mieux pour le dentiste, les dents qui se montrent sont sa publicité.

Astrid nous rejoint pour le dessert. Elle est habillée en vert de la tête aux pieds.

— C'est un nouveau concept que je lance dans ma boutique ! Une couleur pour chaque humeur.

Son magasin est une caverne d'Ali Baba et c'est elle qui crée les trésors. Vêtements, bijoux… et même des desserts qui n'existent nulle part ailleurs. Mon préféré, c'est une pomme fourrée à la crème de marrons. Astrid est obligée de faire entrer la crème à la seringue, mais il ne faut pas le dire, car c'est un secret professionnel.

Maman lui raconte sa première journée en détail. De la grosseur des fesses du patron à la couleur des murs. Moi, je cache mon visage dans mon bol et j'essaie d'oublier mon bourreau allemand jusqu'à demain.

Mais Astrid a remarqué mon état, elle me regarde en fronçant les sourcils. Je mets mon doigt sur ma bouche, la suppliant des yeux de ne pas attirer l'attention sur moi.

À la fin de la soirée, même si je suis déjà couchée, elle entre dans ma chambre.

— Qu'est-ce qui se passe, ma crevette ? elle chuchote, en s'assoyant sur le bord du lit.

— Rien, ça ira mieux dans neuf mois et trois semaines, je réponds, les yeux fixés au plafond.

— Ah, c'est donc ça…

Pour m'aider à faire de beaux rêves, elle me raconte des histoires. Celle de la prison dorée qui disparaît avec le pouvoir de l'esprit. Celle du loup noir et du loup blanc à l'intérieur de nous : celui qui gagne est celui que l'on nourrit. Et d'autres que je n'ai pas entendues parce que j'étais déjà loin.

◇ ◇ ◇

La sonnerie du réveil me fait mal. Mon corps n'est plus habitué à obéir, il ne veut qu'une chose : dormir.

Maman chantonne encore ce matin. Ses baisers qui chatouillent finissent par me réveiller.

Je me donne du courage en me disant qu'il ne reste qu'une journée avant de retrouver ma moitié.

Aujourd'hui, Mme Kinder parle de la Seconde Guerre mondiale. Elle dit que c'était difficile d'être allemand après ça, parce que les gens vous prenaient pour un monstre.

Elle semble émue, car ses lunettes s'embuent.

Elle nous explique l'histoire, celle d'Hitler le dictateur, des juifs et de toute la souffrance.

Elle dit qu'il faut réfléchir quand on nous donne des ordres, pour que cela ne se reproduise jamais. C'est là que Maxime, celui qui a tout le temps quelque chose à dire, lève la main.

— Alors quand vous nous donnez des ordres, faut pas toujours vous obéir ?

La cheminée allemande est repartie, la fumée lui sort par les oreilles.

— Ce n'est pas du tout pareil, monsieur Maxime ! fulmine Kristina. Vous viendrez me voir à la fin du cours pour une punition à copier. Cela vous aidera peut-être à mieux réfléchir...

N'empêche qu'il avait plutôt raison, pour une fois.

Mais personne n'a osé le défendre. Cela n'aurait servi à rien, sinon à se faire punir aussi.

Je trouve que Mme Kinder est un peu dictatrice sous ses airs de maîtresse d'école.

Je repense à maman et à son nouveau travail.

Son patron est un gros monsieur chauve qui rit tout le temps. Elle dit qu'il passe ses journées à raconter des blagues, mais les patients ne peuvent pas rire parce qu'ils ont la bouche ouverte avec des instruments dedans. Il n'y a qu'elle et Ily, l'assistante du docteur, qui peuvent rire. Elle commence à avoir mal aux joues, parce que même lorsque ce n'est pas drôle, elle se force, pour être gentille avec le dentiste.

Je trouve ça bizarre que ce monsieur torture ses patients avec son humour.

Ils ne peuvent même pas mettre la main devant la bouche pour se retenir de pouffer, puisque M. Dubreuil a lui-même la main plongée à l'intérieur.

Mais maman a l'air de bien s'amuser, et c'est ça qui compte.

Elle n'a pas encore dit à papa qu'elle travaille, c'est une surprise.

La voix de Kristina Kinder me ramène dans la salle de classe. Elle me fait penser à un chien. On ne sait jamais si elle va aboyer, mordre ou nous lécher la main. Je crois qu'elle a beaucoup de valises de peur et de colère dans sa tête. Car, comme dit Astrid : « On trimballe nos bagages du passé avec nous. » Mme Kinder croit qu'on est en guerre et qu'il faut se comporter comme des soldats de l'armée.

Debout. Assis. Bouge pas. Réponds. Tais-toi.

Un, deux, trois. Un, deux, trois.

Je m'aperçois qu'elle s'est approchée de moi, les crocs sortis.

— Mademoiselle Alice, qu'est-ce que j'étais en train de dire ?

Elle a le flair pour dépister ceux qui n'écoutent pas. Ils ont dû l'y entraîner, à l'école des professeurs. Comme les chiens dressés à retrouver les personnes disparues. Kristina nous traque dès qu'on pense à autre chose.

— Je, euh... je sais pas ce que vous disiez, madame, je réponds en baissant la tête.

Les chiens aiment lorsqu'un autre chien est soumis. Ils se sentent moins menacés.

Elle soupire, gonfle son énorme poitrine et retourne en avant.

Je réalise que mes connaissances sur les animaux sont encore plus utiles que je le pensais.

◇ ◇ ◇

Samedi est enfin arrivé. Thomas m'a terriblement manqué. Je lui raconte tout ce qui s'est passé depuis la rentrée et j'imite pour lui Kristina Kinder. Ça le fait beaucoup rire, je le sais, même s'il rit tout le temps.

Comme il est doué pour les grimaces, je l'entraîne avec moi devant le miroir et nous créons des personnages monstrueux.

Mais surtout, je regarde nos deux visages côte à côte. C'est étrange d'avoir une moitié, on est sortis du même moule. Lui en garçon, moi en fille.

Est-ce qu'on penserait toujours la même chose si son cerveau marchait bien ?

◇ ◇ ◇

Thomas dort. Maman et moi sommes devant la télé, mais aucune de nous ne la regarde. Elle a ses yeux absents, elle est partie quelque part dans sa tête. Moi, je pense à Alex et aussi à l'école qui nous avale quand on est petits et ne nous recrache qu'une fois qu'on est devenus grands, la tête pleine de choses importantes.

Revenue de son voyage, maman se met à me caresser les cheveux.

— J'aimerais te parler de quelque chose, Alice... De ta naissance. Et de ton frère.

Je ne dis rien, j'ouvre grand mes oreilles.

— Tu sais, quand deux enfants partagent le ventre de leur mère et qu'un des deux meurt ou a un problème... l'autre se sent souvent responsable. De ne pas avoir pu changer cela. Ou simplement d'être en vie, d'être normal...

Elle repart quelques instants dans son monde. Je ne sais pas si je dois lui répondre.

— Si tu prends autant soin de tous ces petits animaux... et même des autres autour de toi, c'est peut-être que tu penses que tu as quelque chose à réparer, tu comprends ? Mais tu n'es pas obligée parce que... ce n'est la faute de personne si le cerveau de Thomas a manqué d'oxygène.

Je n'avais jamais pensé à ça. Que je puisse y être pour quelque chose.

C'est drôle comme, parfois, les grands nous parlent et on a l'impression qu'ils se parlent à eux-mêmes.

◇ ◇ ◇

Malgré les devoirs, les dictées, Mme Kinder, la discipline et Sabrina qui prépare toujours ses sales coups, j'ai quand même hâte d'arriver à l'école parce que, chaque fois que j'aperçois Alex, mon cœur fait une pirouette.

Avec lui, je ne suis plus pareille. Je ris pour rien, j'ai les mains moites et un cœur acrobate.

Aujourd'hui, c'est mercredi, et toute la classe se réjouit de la venue de cette dame qui vient nous parler de santé. Cela arrive une ou deux fois par année. On nous explique comment nous brosser les dents ou comment bien manger. On est tous excités, non pas que l'hygiène nous passionne, mais on peut enfin être turbulents sans recevoir de punition. Et avec Mme Kinder comme professeure, c'est encore plus exceptionnel.

On est gâtés cette fois-ci, parce que la dame a l'air tout droit sortie d'un conte. Énorme, avec une verrue qui cache son nez, une vraie sorcière.

Lorsqu'elle a sorti sa pancarte « Moi et mon corps - moi et l'amour - moi et la sexualité », il y a eu une vague de ricanements et de coups de coude.

Elle a parlé de faire attention, de ne pas reproduire ce qu'on voit dans les films. Qu'il faut être des enfants, pas des copies d'adultes dans des petits corps. Ça nous a encore fait rire.

Seulement, après la visite de Mme Verrue, Alex et moi, on s'est demandé si on était trop jeunes pour s'embrasser. Sans parler de l'exposé sur les maladies de la salive...

Après l'école, on est allés au parc s'asseoir sur notre banc et on s'est dit qu'il vaudrait mieux arrêter. On s'est embrassés une dernière fois. Plusieurs dernières fois.

Jusqu'à ce qu'Alex ruine nos chances d'arrêter pour de bon.

— De toute façon, on doit déjà l'avoir, sa maladie, il a dit.

Il est peut-être nul en classe, mais c'est un génie en trucs de la vie.

J'ai mis ma tête sur son épaule et j'ai souhaité qu'on soit figés. Juste là, assis sur ce banc pour toujours.

◇ ◇ ◇

Ily, la collègue de maman, a commencé à l'emmener à des groupes d'affirmation de soi.

— On y apprend à ne pas se laisser marcher sur les pieds, m'explique maman pendant qu'on prépare le souper.

J'imagine un cours de danse en couple où il faut éviter de laisser son pied se faire écraser par le pied de l'autre. J'aime bien penser à maman en train de danser une valse.

— Il faut d'abord se respecter soi-même pour se faire respecter des autres, elle ajoute en pointant l'éplucheur vers moi.

— Et comment on fait?

— On commence par arrêter de croire ceux qui nous disent qu'on ne vaut rien...

Voilà, j'ai une nouvelle maman et personne ne marche dessus !

C'est pour ça que, ce matin, elle fait des « Ha ! » secs et bruyants dans la salle de bain. C'est un truc d'arts martiaux pour se sentir plus fort.

Un jour, Astrid m'a expliqué que les gens doivent parfois réapprendre ce qui est naturel parce que, pour survivre, ils avaient oublié d'être eux-mêmes.

Je lui ai demandé si c'était comme les paysans qui s'inclinaient devant le roi - il y a très longtemps - et devaient lui embrasser les pieds même si le roi était méchant et leur faisait du mal. Elle a dit que oui, c'était à peu près ça.

Je crois que maman ne veut plus jamais embrasser les pieds d'un mauvais roi.

◇ ◇ ◇

Dans l'entrée, en train de me déshabiller, je réalise que papa est là. Non pas que tout soit bien rangé - maman n'a plus beaucoup de temps pour le ménage depuis qu'elle travaille -, mais j'entends sa voix. Et quand on l'entend parler, c'est mauvais signe parce que, si tout était normal, il serait devant la télé.

— À quoi bon travailler à l'extérieur si tu ne peux pas tenir la maison ? il dit très fort.

— Ça me fait du bien de faire autre chose que du ménage, répond maman.

En m'apercevant, ils se taisent.

— Assieds-toi, Alice, dit papa. J'ai quelque chose à annoncer. Une bonne nouvelle que je n'ai pas encore dite à ta mère puisque mon accueil a été, disons... décevant.

Maman fait rouler ses yeux, comme lorsqu'elle n'en peut plus. Moi, je m'assois en silence. J'ai l'impression que la bonne nouvelle risque de nous assommer.

— J'ai été muté à terre, commence papa.

Maman regarde ses mains, et moi, ses pieds.

— Ça veut dire que je serai beaucoup plus souvent ici... Tout le temps, même. Sauf en cas de remplacement d'urgence.

Ça y est, la foudre est réellement tombée sur notre vie. Finies les soirées plateau-télé, les séances de câlins sur le canapé, les batailles de chantilly avec Thomas. Finie la folie qui nous faisait respirer. Papa, c'est les devoirs avant de souper. Adieu, les cheveux en liberté, rangés, les doigts pour manger.

— Alors ? C'est tout ce que ça vous fait ?

Je tente un sourire alors que maman se lève, tend la main pour lui effleurer la joue, change d'avis et disparaît dans la cuisine. Papa soupire et va s'écraser dans son fauteuil.

Et Thomas ? Que va-t-il se passer avec mon frère si papa est tout le temps là ?

Je me dis qu'il faut que j'arrête de m'en faire parce que, entre mes animaux à soigner, Thomas qui me manque tout le temps et papa qui annonce des nouvelles qui chamboulent tout, je ne pourrai plus penser à rien d'autre.

À la télévision, j'ai vu un reportage sur une dame qui s'occupe de tout le monde. Des pauvres, des malades et de tous ceux qui ont besoin d'amour. J'ai eu envie de faire comme elle, parce qu'elle avait l'air si belle à travers sa vieillesse qui lui plissait la peau. Il y a des vieux qui deviennent laids et d'autres qui pourraient gagner un concours de beauté tellement ils resplendissent.

Maintenant que je vois comme c'est compliqué de prendre soin des autres, je ne suis pas sûre d'être aussi douée que cette dame à la télé.

Astrid nous a annoncé son départ hier soir. Elle est venue pour souper et, au dessert, elle a dit : « Je pars en voyage pour quatre mois. »

Comme ça. Comme si elle disait : « Hier, je suis allée à la piscine. » Sauf que ce n'est absolument pas pareil. Aller à la piscine ne prend qu'un après-midi. Quatre mois, c'est long, c'est loin, c'est énorme. Ça se déploie dans toutes les directions.

Encore plus quand on apprend qu'elle part en Californie.

Mon père a fait un « pff » bruyant et plein de mépris, et il est allé rejoindre sa télé.

Maman, elle, a fait un « pff » triste, délicat, parce qu'elle veut le meilleur pour sa sœur, même si ça lui fait de la peine.

Moi, j'ai fait un « pff » à l'intérieur, que personne n'a entendu. Le mien, il était plein d'inquiétude à l'idée que je ne verrais pas ma tante pendant une éternité.

Astrid est la meilleure personne pour donner des conseils qui n'existent pas sur Google ou dans les livres. Avec elle, je peux faire des farces ou des grimaces qui la feront toujours rire, et c'est réconfortant.

Elle a continué à parler avec maman. De son départ, de ses choix, de sa vie différente, « oui, mais c'est la mienne, tu comprends ».

Je vois bien que maman se force à comprendre, qu'elle y met du sien.

Ça s'est gâté lorsque Astrid a précisé qu'elle s'en allait vivre dans un « atchoum ». Moi aussi, j'ai fait un saut.

Ça n'a vraiment pas d'allure, et puis qu'est-ce que c'est, d'abord ?

— Un « ashram » est un lieu de vie spirituelle, elle a dit.

Ce qui était loin de tout expliquer.

— Je resterai en silence durant ma retraite, a ajouté Astrid en prenant la main de maman.

— En silence ?

— En silence !

Maman n'en revenait pas, et moi non plus.

Je me suis mêlée à la conversation pour éclaircir ce point.

— Mais comment tu vas faire pour jamais faire de bruit ? C'est impossible !

Astrid s'est mise à rire.

— Non, pas ce silence-là ! C'est simplement que je ne parlerai pas.

— Jamais ?

— Jamais.

C'est incroyable. Comment peut-on choisir de s'arrêter de parler ?

Tante Astrid serait notre papillon. Elle allait partir battre des ailes en Californie et la tornade allait déferler chez nous.

◇ ◇ ◇

Des cris et des portes qui claquent. Voilà ce qui est nouveau dans la maison depuis que papa a été muté.

Avant, papa râlait ou haussait le ton, et maman secouait la tête... Et puis c'était tout.

Mais on dirait que maman a retrouvé sa voix et, maintenant, elle lui répond. Tout ça le met, bien sûr, encore plus en colère.

Plus elle s'affirme, plus il s'énerve.

Je commence à me demander si les cours d'affirmation de soi ne sont pas plutôt des cours de dispute 101.

En tout cas, il n'y a rien de tel, pour être motivée à aller à l'école, qu'une mauvaise ambiance à la maison.

Astrid dit qu'il y a deux facettes aux choses de la vie, qu'il faut apprendre à voir le côté pile *et* le côté face. Je crois que la tension nucléaire entre papa et maman vient de faire basculer la pièce de mon écœurement scolaire de l'autre côté.

◇ ◇ ◇

Alex est assis sur le ballon en face de moi et mâche son sandwich en silence. Je remarque un grain de beauté sur son cou que je n'avais jamais vu avant. C'est bizarre, je découvre tout le temps de nouvelles choses de lui.

— Pourquoi je suis jamais allée chez toi ? je lui lance.

Ses yeux noisette virent au brun foncé, comme chaque fois que je pose ce genre de questions.

— Parce que ça vaut pas la peine...

Je sais que je devrais m'arrêter là, mais je n'y arrive pas. Peut-être à cause de la curiosité... La même que celle de la femme de Barbe-Bleue qui va fouiner là où elle ne devrait pas.

— Ta mère... est-ce qu'elle sait que je suis ton amoureuse ?

Le brun foncé s'assombrit encore. Alex crispe les mâchoires.

— Ma mère se souvient à peine de son nom tellement elle a pris de coups sur la tête, OK ? il répond, les dents serrées.

L'information me noue l'estomac. Je me sens comme si je dévalais une pente tellement abrupte que je ne peux plus m'arrêter.

— Ton... ton père, est-ce qu'il est en prison ou quelque chose comme ça ?

Le visage d'Alex se métamorphose. Je ne le reconnais plus et ça me fait peur.

— Excuse-moi, je dis précipitamment, je devrais pas poser ces questions-là...

Il ne bouge plus, même pas d'un millimètre. Alex s'est volatilisé et m'a laissée en face d'un inconnu.

— Mon père a disparu le jour où je me suis mis entre ma mère et lui. Je lui ai dit qu'il faudrait qu'il me tue avant de pouvoir la toucher encore une fois. Il a même pas eu le courage de me répondre. Il est parti, et c'est très bien comme ça.

J'ai envie de pleurer. Envie de prendre Alex dans mes bras. Envie d'effacer ce masque glacial de son visage en lui disant que je l'aime. Je ne peux pas, je suis clouée sur place.

Après une éternité, il se lève.

— On la fait, cette partie ?

Je lui souris et hoche la tête.

Il m'a laissée gagner et ça m'a rassurée. C'était comme s'il me pardonnait d'avoir été trop curieuse.

Comme dans Barbe-Bleue, j'avais trouvé du sang derrière la porte. Mais la clé ne resterait pas tachée et puis le méchant avait foutu le camp.

◇ ◇ ◇

La dispute éclate après le souper. D'habitude, je mets de la musique ou je chantonne pour ne pas entendre. Sinon je reçois les mots comme des coups dans le ventre.

Ce soir, je ne sais pas pourquoi, je ne fais pas de brouillage.

J'entends maman qui crie.

— T'es insupportable parce que tu crois que tu n'as pas réussi à me faire deux enfants normaux !

— Quoi ? hurle papa.

— Tu m'as très bien entendue. Tu ne peux pas tolérer Thomas parce que tu le vois comme un raté... exactement comme toi !

Je saute de mon lit pour mettre mon CD de musique et de chants d'oiseaux, celui que j'utilise quand je n'arrive pas à dormir. Ça me donne l'impression de passer la nuit dans la forêt et me fait faire de beaux rêves.

Mais les mots de maman tournent dans ma tête. Je commence à comprendre.

Papa déteste Thomas. Il n'accepte pas d'avoir sous les yeux son portrait tout craché en train de baver.

— Depuis que cet attardé vient ici, tu n'es plus la même, il a lancé à maman l'autre soir.

— Je ne suis plus la femme soumise d'un bloc de béton sans cœur, c'est vrai ! elle a répondu.

Les éclats de voix assourdis par la musique semblent avoir cessé. Tout à coup, j'ai peur, comme s'il allait arriver un malheur.

Je sors de ma chambre et reste aux aguets dans le couloir.

J'entends maman qui dit :

— Tu n'oseras pas.

Un « boum » retentit et j'aperçois papa qui traverse l'entrée. Il sort en claquant la porte de la maison tellement fort que la photo encadrée de mamie tombe.

Dans le salon, maman pleure.

— Ça va ? je lui chuchote.

Elle hoche la tête et me prend dans ses bras. En fait, je crois que c'est moi qui devrais la prendre dans les miens.

Je vois un endroit sur le mur qui est abîmé. Papa a dû frapper là. Il est drôlement fort quand même parce que, un mur, c'est du solide.

Maman dit qu'on va regarder un de mes films préférés avec de la crème glacée, qu'on l'a bien mérité. Je ne suis pas sûre de ce que ça veut dire, à part qu'on va essayer de passer une bonne soirée.

◇ ◇ ◇

Papa n'est pas revenu à la maison. Ni le soir même, ni le lendemain, ni le surlendemain.

Il a disparu dans un claquement de porte... pendant quatre jours.

Puis il est réapparu.

Il est rentré, le visage très sérieux et pas rasé. Maman et lui ont discuté dans le salon.

Sans cris ni rien.

Je me demande où il a habité pendant tout ce temps.

◇ ◇ ◇

C'est l'anniversaire de mamie. J'ai fabriqué une couronne de mariée et maman apporte des pantoufles de laine.

Lorsque ma grand-mère ouvre la porte, elle est encore plus belle que la dernière fois. Maquillée, dans une robe beige et un petit chapeau assorti.

— Tu es bien élégante, dit maman.

Mamie prend un air de cachottière.

— Ton amoureux va venir? je lui demande en grimpant sur son lit tandis qu'elles s'installent toutes les deux dans les fauteuils.

À plat ventre, je les observe entre les barreaux du lit électrique et j'ai bien envie de jouer avec les commandes, sauf que ça énerve maman.

— Non, c'est fini avec mon... amoureux, comme tu dis, lance mamie.

Oh non!

Maman affiche un grand sourire. Elle n'aime pas que sa mère se marie avec des grands-pères qui vont bientôt mourir.

— Alors pourquoi es-tu si chic? elle demande.

— Oh, comme ça, réplique mamie en regardant par la fenêtre.

Maman soupire, et moi je suis déçue pour mamie et son amoureux.

— Tiens, je t'ai apporté de nouvelles pantoufles, dit maman.

Mamie hausse les épaules.

— Les miennes sont très bien.

— Pourtant, tu as l'air d'aimer le changement, riposte maman d'un ton sec.

Pour faire diversion, je descends du lit et me glisse derrière mamie pour lui chuchoter à l'oreille.

— Pourquoi c'est fini ? Tu l'aimes plus ?

Elle se met à rire parce que ma voix l'a chatouillée.

— Non, elle répond tout haut. C'était un filou, un menteur, et en plus il ronflait !

— C'est pas grave, t'en trouveras un meilleur.

— Tttt tttt tttt, fait maman pour dire qu'elle n'est pas d'accord.

— De toute façon, je suis déjà amoureuse d'un autre, dit mamie en caressant ses cheveux.

Maman fait un bond sur son fauteuil.

— Tu es intenable, elle marmonne entre ses dents.

— J'ai rendez-vous avec lui dans une heure, voilà pourquoi je suis en beauté.

Je trouve qu'elle a vraiment de la classe quand elle prend ses airs de grande dame.

— Comment il s'appelle ? Il est gentil, c'est pas un filou, lui ? je demande, tout excitée pour elle.

— C'est un gentleman.

Maman est maintenant très tendue.

— Tu tombes amoureuse aussi souvent que tu vas jouer au bingo. C'est ridicule !

Mamie reste silencieuse quelques secondes, et moi je retourne sur le lit bionique en m'emparant discrètement de la télécommande.

— Et si cela me fait plaisir, à moi, de jouer au bingo ou de tomber amoureuse...

J'ai tout le loisir de faire monter et descendre le lit un million de fois pendant leur dispute.

Je fais basculer le pied du lit. Puis la tête. Je suis pliée en deux et me demande qui dormirait dans cette position. À moins que ce soit réellement pour jouer. C'est vrai que, vivre dans une maison de retraite, ce ne doit pas être amusant tout le temps. Au moins, c'est l'endroit rêvé pour tomber amoureuse, à en croire mamie.

Je m'aperçois que maman s'est approchée de moi et me fixe d'un regard noir. Le règlement de comptes semble terminé. J'attrape la télécommande pour pouvoir sortir de là, mais je me trompe de bouton. Le lit se replie encore plus sur moi, j'ai peur qu'il m'avale.

— Alice, sors de là immédiatement! crie maman.

— Ben oui, j'essaie…

Je me laisse glisser par terre sans avoir réussi à déplier la chose infernale. Mamie pouffe de rire. Pas maman.

En quittant la chambre, je me retourne vers ma grand-mère et lui fais un clin d'œil.

J'espère que son gentleman sera le bon, cette fois-ci.

◇ ◇ ◇

J'adore le samedi matin. Je bois mon jus d'orange à petites gorgées en rêvassant, car j'ai le droit de ne pas être bien réveillée. Thomas boit le sien dans un genre de biberon pour ne pas s'en mettre partout. Papa ne déjeune jamais avec nous, il a rendez-vous dans son bureau avec son journal.

— Il comprend plein de choses, je dis à maman qui sirote son café, l'air absent.

— Qu'est-ce que tu veux dire? elle demande.

Thomas a cessé de téter son jus et me regarde.

— Tu vois ? Il comprend qu'on parle de lui. Il essaie même de répondre quand je lui pose des questions. C'est comme des réponses codées parce qu'il peut pas parler... Mais c'est des réponses quand même !

Maman soupire.

— Je... Comment dire ? Je ne crois pas qu'il comprenne vraiment, Alice. Ce sont des réflexes.

— Comment ça, des réflexes ?

— Eh bien, c'est un peu comme les animaux qui associent un son à une action. Bruit du sac de croquettes égale nourriture. Des choses comme ça.

— Mais c'est pas du tout pareil ! Thomas mange pas de croquettes.

Maman pose sa main sur la mienne.

— Ce n'est pas ce que je voulais dire. C'est juste que... il ne peut pas comprendre les mots. Son cerveau a... comme des trous.

— Moi, je te dis qu'il comprend. Et même qu'il me répond ! À sa façon...

— D'accord, mademoiselle.

Pourquoi ne veut-elle pas me croire ?

Je jette un œil à mon frère, il a un sourire béat et promène son regard de maman à moi.

Je me lève et l'entoure de mes bras.

— T'aimes ça quand on parle de toi, hein ?

Et je vois un de ses yeux se fermer. Thomas vient de faire un clin d'œil !

Maman l'a vu, elle aussi.

— Alors ?

— Alors l'important, c'est que toi, tu y croies, elle répond.

— Il a peut-être appris à penser avec des trous dans le cerveau. Faut juste sauter par-dessus, c'est tout !

Elle sourit.

— C'est vrai.

— L'important, c'est de pas tomber dedans, hein ?
je lui dis.

Ses yeux s'habillent soudainement de tristesse. La
lumière vient de s'y éteindre, comme si on avait appuyé
sur l'interrupteur.

Je vais m'asseoir sur ses genoux et prends sa main.

— T'es tombée dans un trou ?

Une larme coule sur sa joue, que j'essuie avec mon
doigt.

— C'est pas grave... On va trouver une échelle,
comme ça tu pourras remonter, d'accord ?

— Alice, c'est toi, mon échelle.

Et la lumière revient dans ses yeux. Une petite
lueur timide, mais au moins il n'y fait plus noir.

Astrid dit qu'il faut toujours garder sa flamme
allumée. Parce que, à elle seule, elle peut manger des
kilomètres d'obscurité.

74

◇ ◇ ◇

Comment Mme Kinder peut-elle s'enflammer autant
pour des règles de grammaire ?

Tout le monde dans la classe est en hibernation,
mais c'est sur moi que l'œil noir s'arrête.

— Mademoiselle Alice ! Toujours à divaguer, alors
qu'on est ici pour apprendre. Est-ce que mon cours
est si ennuyeux pour que vous vous autorisiez à
rêver ?

C'est une question piège, je le sens. Qu'est-ce que je
dois répondre pour ne pas la fâcher ?

— Non, madame. C'est que... je suis tombée dans un
trou de mon cerveau... au lieu de sauter par-dessus.

Les autres se mettent à rire, et Kristina devient
rouge. Couleur qui annonce des problèmes.

— Quelle impertinence ! Vous me rédigerez pour
demain un exposé sur le cerveau. Cinq cents mots.

En espérant que cela bouche quelques-uns de vos trous!

Nouvelle vague de rires qui l'oblige à frapper dans ses mains.

— Ça suffit. Assez perdu de temps!

Elle voudrait qu'on soit des entonnoirs dans lesquels s'écoulent les leçons, sans réaction.

Glou glou. Glou glou. Glou glou.

Zut! Je suis encore en train de m'échapper.

Je me pince la cuisse pour tenter de rester attentive.

Plus tard, dans les toilettes, je découvre un énorme bleu sur ma jambe. L'école n'est pas seulement une prison, c'est une salle de torture.

◇ ◇ ◇

Au retour de l'école, je m'assois sur les marches devant la maison. L'été, c'est mon poste d'observation préféré. Je regarde ce qui se passe dans la rue, et maman ne s'inquiète pas, parce qu'elle peut me voir.

Le vent me fait frissonner et pourtant je n'ai pas froid.

Papa et maman se sont disputés toute la nuit et j'ai peur que quelque chose de grave arrive.

J'ai l'impression de vivre dans un château de cartes avec un vent qui n'arrête pas de souffler. Thomas, c'est la carte qu'on vient d'ajouter et qui fait trembler tout le reste. Ce n'est pas sa faute, il y a toujours une carte qui finit par tout mettre à terre.

J'entends une porte claquer. Nos parents ne se parlent que de cette façon depuis quelque temps.

Mme Jutras, la voisine, rentre chez elle en trottinant derrière son chien. Elle me lance un regard méfiant, je m'apprête à lui faire signe, mais elle détourne la tête.

Je crois qu'elle ne nous apprécie pas à cause du chat qui se promène sur sa pelouse.

Frimousse n'est pas vraiment « mon » chat. Je me contente de le nourrir et de l'aimer. Il vient me voir quand ça lui chante et puis il disparaît.

La première fois qu'on s'est rencontrés, c'était un samedi.

Thomas était endormi sur mon lit et j'essayais de le dessiner. Ce n'était pas facile et j'avais dû effacer plusieurs fois. Je venais de réussir son visage lorsque j'ai entendu miauler. De l'autre côté de la fenêtre, il y avait un petit chat adorable qui avait l'air affamé. J'ai ouvert tout doucement et je l'ai pris. Il tenait dans une seule de mes mains, son museau était blanc, et le reste de son corps, noir.

Papa refuse que des animaux entrent chez nous, mais je voulais faire la surprise à Thomas. J'ai mis le chaton dans une boîte de crayons et suis partie en mission vers la cuisine. Lait pour le minou, biscuits au chocolat pour mon frère et moi. Lorsque Thomas s'est réveillé, il a trouvé la boule de poils à côté de lui et s'est mis à crier de joie. J'ai dû lui montrer comment caresser son nouvel ami en douceur, sinon il l'aurait écrasé en un rien de temps.

J'ai remis Frimousse dehors avant le souper, avant qu'il soit découvert.

Depuis ce jour-là, je laisse à manger devant la fenêtre et, les soirs où je suis triste, je lui permets de dormir avec moi.

◇ ◇ ◇

Je suis en train de fabriquer une nouvelle maison pour mon araignée boiteuse lorsque maman me demande de venir dans le salon. Je prends Thomas par la main, il grogne parce qu'il n'aime pas être dérangé pendant qu'il crée. Il adore dessiner. Souvent, sa bave se mélange aux couleurs, ce qui fait une sorte d'aquarelle.

On s'assoit, mon frère et moi, face aux parents. Maman est aussi figée qu'une statue de sel, et papa, aussi « iceberg » que d'habitude.

— Les enfants, on doit vous parler, votre père et moi, commence maman d'une voix tremblotante.

— Pourquoi tu t'adresses à eux deux alors qu'il n'y en a qu'une qui comprend ? grommelle papa.

Maman secoue la tête pour ne pas laisser les mots durs rentrer dedans.

— Alice, ton père et moi allons nous... séparer.

Thomas choisit ce moment-là pour pousser un cri. Il faut dire que c'est au bon moment, pour une fois.

— Vous allez divorcer ? je demande, abasourdie.

Papa se lève et retourne dans son bureau sans rien dire.

Maman me regarde, les yeux pleins d'eau.

— Oui, Alice.

Je me lève très lentement, comme lorsqu'il arrive quelque chose de grave et que le temps ralentit.

— Je vais aller consoler Thomas dans la chambre, je réponds à maman.

Je ne sais pas pourquoi je dis ça, car mon frère est aussi joyeux que d'habitude.

Allongée sur le lit, j'écoute la respiration de Thomas qui s'est endormi, et ça me fait du bien.

Avant, papa n'était jamais là, alors je me répète que tout sera presque comme avant.

Pourquoi alors mon cœur est-il aussi serré ?

◇ ◇ ◇

Dimanche, j'ai eu envie de parler à Alex.

— Allo? Alex?
— Mmmh.
— Mes parents divorcent.
— Ah?
— Ouais.
— ...
— Pour de vrai.
— ...
— ...
— T'es triste?
— Non, je crois pas.
— Pis?
— Rien.
— ...
— ...
— Bon ben, salut.
— Ouais, salut.

— ...
— ...
— T'as pas raccroché.
— Toi non plus.
— ...
— ...

C'est ça qui a changé depuis qu'on s'est embrassés, Alex et moi. On ne raccroche plus. Des fois, ça dure au moins dix minutes. On est comme deux muets qui se téléphonent.

◇ ◇ ◇

La maison est silencieuse depuis que papa est parti pour de bon. Je l'ai entendu dire qu'il irait à l'hôtel jusqu'à ce qu'il trouve un appartement.

À partir de ce moment-là, maman a commencé à être bizarre. Elle rit pour rien et agite les bras dans tous les sens. On dirait une poupée détraquée. Parfois, la poupée cassée reste assise dans le noir, sans bouger, pendant des heures.

J'ai dû lui rappeler de ramener Thomas l'autre jour. Heureusement parce que, au centre, ils sont très sévères sur les horaires. Une fois, on l'a raccompagné une heure en retard et maman s'est fait gronder. J'ai même cru qu'ils allaient lui donner une punition.

◇ ◇ ◇

À l'école, rien n'a changé.

Surtout pas Kristina Kinder.

Malheureusement.

Ce soir, c'est la rencontre parents-professeurs, et je me demande si maman pourra y aller. Depuis que papa est parti, on dirait qu'elle fait semblant de vivre. Un genre de fantôme pas encore mort.

J'ai décidé de l'accompagner, prétextant que je n'avais pas envie de rester seule. En vérité, je voulais la surveiller.

On attend toutes les deux sur le banc, devant la salle de classe.

Une mère sort et maman se lève pour entrer. Elle ne ferme pas la porte, si bien que, même si je ne peux pas les voir, je les entends.

Mme Kinder vient de monter le ton quand maman s'est présentée.

— Il faut faire quelque chose, cette petite est impossible ! Pas concentrée, insolente...

Insolente ?

— ... Je ne comprends pas ses notes de l'an passé, car rien chez elle n'indique ce potentiel d'intelligence reflété par ses anciens bulletins.

Quoi ? Comment peut-elle dire ça ?

— Comment pouvez-vous dire ça ? s'écrie maman. Alice est douée. Oui, elle a une forte imagination, mais...

— On ne devient pas un adulte responsable avec l'imagination, la coupe Kristina. Sachez que si son comportement ne change pas, son année est compromise, bonnes notes ou non !

J'entends qu'on repousse une chaise.

— Je me demande bien comment ma fille peut vous supporter à longueur de journée ! rétorque maman. Au revoir.

J'imagine la tête écarlate et fumante de la prof après ces mots qui me remplissent de joie.

Maman sort dignement, je la rejoins et nous quittons l'école main dans la main.

Elle ne dit pas un mot sur la rencontre, mais je sais maintenant que, cette année, elle sera toujours de mon côté.

◇ ◇ ◇

Papa est à la maison pour récupérer des affaires. Je l'entends s'agiter dans son bureau, là où il est interdit de le déranger.

Je voudrais lui dire qu'il faut faire quelque chose pour maman et je m'approche de sa tanière. J'hésite, même son dos semble de mauvaise humeur.

— Pa... pa ?

— ...

Je compte jusqu'à trois, il ne se retourne toujours pas.

— Papa, c'est maman, elle... Il faudrait que...

— ...

— Papa !

J'ai le visage qui chauffe.

— Papa !!!

Il se retourne, un peu surpris. Puis se remet à fouiller ses tiroirs.

Ma température intérieure monte de plusieurs degrés. Je VEUX qu'il m'écoute, pour UNE fois.

— PAPA !! Il faut que t'ailles voir maman...

— Ne t'occupe pas de ça, il répond sèchement.

Alors je réalise que c'est un volcan qui bouillonne dans mon ventre. Énorme et au bord de l'explosion. J'essaie de le contenir, mais rien n'y fait, la lave déborde.

Je me mets à hurler, j'essaie de frapper ses tibias, de le griffer. La coulée qui sort de moi ne veut qu'une chose : le faire disparaître.

Je sens qu'on me soulève par le col et qu'on me monte dans ma chambre, tandis que je gesticule au bout du bras qui m'agrippe. On me jette sur le lit et la porte claque. J'entends la clé tourner dans la serrure. J'ai beau tambouriner de toutes mes forces, la porte reste close.

Le volcan s'essouffle et j'ai mal partout. Dehors, mais surtout dedans.

Couchée en boule à sangloter, j'imagine le pire.

Je vais rester coincée là pendant des jours avant que maman ne vienne m'ouvrir ! Elle est trop perdue pour s'apercevoir de quoi que ce soit.

Je finis par m'endormir, épuisée par les soubresauts de mon cœur.

À mon réveil, la maison est parfaitement calme. À demi somnambule, je me lève, tourne la poignée... La porte s'ouvre, papa est parti.

Qu'est-ce qui m'a pris ?

On ne frappe pas un iceberg en espérant le voir fondre.

◇ ◇ ◇

Ces temps-ci, je vais rendre visite à Jenny aussi souvent que possible. Ça me fait du bien de la voir soigner les blessures des autres. Ce matin, je l'ai vue recoudre un menton. C'était magnifique. Au début, tout était abîmé avec du sang partout. Après, c'était propre et presque beau à voir.

Je voudrais lui demander de faire la même chose à l'intérieur de moi. Mais je me tais et je la regarde faire des miracles avec la peau des autres.

Elle me dit que, quatre-vingts pour cent de son travail, c'est de rassurer. Que l'amour qu'elle donne au moyen d'un coton plein d'alcool, c'est ça qui est magique.

En partant, j'ai volé un sac de coton. Je l'ai serré sur mon cœur toute la soirée.

◇ ◇ ◇

Heureusement que j'ai appris à cuisiner avec Astrid. Des omelettes, des pâtes à la tomate, du riz aux légumes... Car c'est maintenant moi qui fais à manger à la maison. Hier, j'ai nourri maman à la cuillère, parce qu'elle ne voulait rien avaler.

Ça a marché, elle a ouvert la bouche chaque fois.

Je dois me comporter avec elle comme avec les petits animaux blessés. Je lui parle tout doucement, lui donne des caresses et lui apporte à manger. D'habitude, la blessure finit par guérir et mes patients redeviennent joyeux en quelques jours. Pas maman.

Elle est perdue dans son chagrin. Quand on la regarde, on ne voit plus personne dans ses yeux.

Est-ce qu'elle regrette papa ? Même si cela ne fait que trois semaines et qu'on a l'habitude d'être toutes les deux ?

J'en ai parlé à Jenny. Elle dit que maman vit un deuil, comme lorsque quelqu'un meurt. Ce qui est mort, c'est la relation, elle m'a expliqué. C'est normal de pleurer et d'être triste.

— Pourquoi la relation est morte ? j'ai demandé.

— Parce que l'amour s'éteint si on ne le nourrit pas.

Je ne savais pas que l'amour avait faim.

J'ai arrêté de lui poser des questions, car j'ai bien vu qu'elle recommençait à penser à M. Maurice. En plus, il est amoureux de la cuisinière de l'école, ce qui n'est pas drôle pour Jenny. Dès qu'elle sent les odeurs de cantine, elle se met à avoir mal au cœur, parce qu'elle pense à eux.

Je me demande si ma relation avec Alex peut mourir elle aussi. Comment fait-on pour nourrir l'amour ?

◇ ◇ ◇

Maman est assise, toute raide, dans le fauteuil de papa. C'est la première fois que je la vois là.

Je vais me blottir contre elle. Elle ne bouge pas, une vraie momie.

— Maman ?

— …

— T'es triste ?

Battements de cils.

— T'es en colère ?

Les yeux se ferment.

J'aimerais trouver dans son dos la roulette à tourner pour la faire marcher de nouveau. Comme pour les jouets mécaniques.

Ses lèvres tremblantes finissent par laisser sortir des mots.

— Je ne sais plus qui je suis...

Qu'est-ce qu'elle veut dire ?

Est-ce que papa est parti avec le mode d'emploi ? Son manuel à elle pour savoir qui être ?

Je caresse sa joue.

— T'en fais pas, maman, tu vas sûrement en trouver un autre.

Un mode d'emploi, ça doit bien se trouver.

Est-ce que ça se vend quelque part, un livret qui vous dit qui vous êtes ?

◇ ◇ ◇

Je feuillette le grand livre d'anatomie à l'infirmerie, tout en parlant de maman à Jenny.

— Alice, je pense que ta mère fait une dépression, elle me dit.

J'ai entendu parler de dépression à la télé.

Pendant la météo.

J'ai cru comprendre que c'est de l'air trop chaud (ou trop froid, je ne sais plus) qui se déplace et qui crée du mauvais temps. Il doit y avoir les mêmes problèmes dans la tête des gens. J'ai bien senti que maman avait laissé trop de nuages s'accumuler. Je ne la vois plus sourire, encore moins rire. Elle n'a probablement pas eu de chance, elle a dû manquer de vent.

Les jours passent, et maman reste dans ses bandelettes de momie.

Je cuisine comme je peux. On ne va plus chercher Thomas, et il me manque terriblement.

Aller à l'école devient presque une récréation si on compare ça à vivre avec une mère-sarcophage.

C'est grâce à Astrid si je sais tout sur la vie des Égyptiens. Les momies, les pharaons et le rituel des morts. Quand quelqu'un meurt, on peut l'entourer de bandelettes, prier et faire plein de choses sacrées pour qu'il fasse un beau voyage dans l'autre monde. Mais quand une relation meurt, qu'est-ce qu'on peut bien faire pour l'enterrer ?

◇ ◇ ◇

On sonne à la porte. Maman dort, alors je vais ouvrir.

Devant moi se tient la voisine, dans un tailleur jaune tournesol.

— Bonjour, madame Jutras.

— Tu connais mon nom ? dit sa voix aiguë.

— Oui, madame Jutras.

Elle fait rouler ses lèvres peinturées de rouge l'une sur l'autre.

— Ah oui, bon. Il est à toi, le chat noir au museau blanc ?

— Qui ? Frimousse ? Oui... enfin, non. Je sais pas, madame.

— Comment ça, tu ne sais pas ? Il est à toi ou bien il ne l'est pas !

— C'est que... je lui donne à manger. Je le caresse. Et parfois, il dort avec moi.

— Alors il faut faire quelque chose, il... il...

Je suis hypnotisée par ses mains qui balaient l'air dans tous les sens.

— ... il prend mon entrée pour une litière ! C'est intolérable et... et...

Le tournesol commence à ressembler à une pivoine.

— ... antihygiénique !

— Ah non, madame Jutras, c'est pas Frimousse. Il est bien élevé, Frimousse, vous savez.

— Ah si si si, c'est bien lui, je l'ai vu !

Elle se dandine sur place et désigne la direction de sa maison d'un ongle aussi rouge que sa bouche.

Je suis très embêtée et, en plus, je commence à avoir froid.

— Peut-être qu'il y a un chat du quartier qui lui ressemble ?

La pivoine en robe jaune a l'air de moins en moins calme.

— Peux-tu appeler ton père ou ta mère, s'il te plaît?

Ça y est, elle a pris le ton autoritaire des personnes qui se croient votre chef.

— Mon père est parti et ma mère est perdue quelque part dans une dépression.

Elle me fixe en rapetissant les yeux.

— Je vois. Et le responsable ici, c'est qui?

— Ben, c'est moi! je dis en me redressant.

— Ah! Mais il y a bien un adulte avec toi, quand même?

— Oui, y a ma mère, mais elle dort. Elle est très fatiguée depuis qu'elle est momifiée. On peut pas la réveiller pour du pipi de chat!

Les joues de Mme Jutras rougissent de plus belle. Elle se met à fouiller dans son sac.

— Tiens, tu donneras ma carte à ta mère. Qu'elle m'appelle!

La voisine-tournesol tourne les talons pendant que je déchiffre le morceau de carton.

Mme Ju-tras. Direc-tion... de la protec-tion... de la... jeun-esse.

Une dame aussi désagréable qui protège les enfants?

Je referme la porte et jette sa carte à la poubelle.

◊ ◊ ◊

Je suis en train de faire cuire des pâtes que maman ne mangera pas, à moins que je la nourrisse à la cuillère. Qui a déjà vu une momie manger toute seule?

Les jours où elle va mieux, elle est capable de descendre de la chambre au salon et même de dire quelques mots.

Je laisse les fenêtres ouvertes le plus possible malgré le froid, en me disant que le vent finira par pousser les nuages dans sa tête.

Quelqu'un frappe à la porte et heureusement que j'ai l'oreille fine pour l'entendre. Ce doit être une personne qui ne sait pas se servir d'une sonnette. Peut-être un aveugle ? Ou un nain ?

— Qui est là ? je demande à travers la porte.

— Bonjour, je m'appelle David Jolicœur. Je suis travailleur social pour la DPJ, la Direction de la protection de la jeunesse. Il y a eu un signalement... Est-ce que je peux entrer ?

Ça me dit vaguement quelque chose, cette histoire de protection, alors j'ouvre. Et puis maman n'est pas loin.

Le monsieur sourit en me tendant la main. Il a vraiment de longues dents. Et pointues en plus. Même si je n'ai plus peur du Grand Méchant Loup, je me méfie.

— Vaut mieux revenir une autre fois. Maman ne veut pas que je laisse entrer des inconnus.

— Elle a bien raison, ta mère. Est-ce qu'elle est là ? Je peux lui parler ?

M. Jolicœur a une voix douce. Mais c'est tout de même un inconnu et ses dents brillent beaucoup trop.

— Elle dort. Elle est fatiguée. Faut pas la déranger.

Il fronce les sourcils, ce qui n'arrange pas sa tête de prédateur.

— Elle a un problème météo dans la tête, j'ajoute pour qu'il s'en aille.

— Un problème météo ?

— Oui, un genre de front chaud ou quelque chose comme ça.

— Elle fait de la fièvre ?

— Ben non, pourquoi ?

Il écrit dans son carnet puis me tend une carte de visite en souriant de toutes ses dents. Pour quelqu'un qui protège la jeunesse, il devrait éviter de sourire.

— Tu donneras ça à ta mère. Bonne journée, Alice.

Il connaît mon nom?

Je n'ai pas le temps de lui demander comment ça se fait, il est déjà parti.

Je rentre dans la maison et jette sa carte à la poubelle. Je préfère que maman ne le rencontre pas. Vu son état, elle risquerait de faire des cauchemars.

◇ ◇ ◇

Le bruit de la sonnette me réveille en sursaut. M. Jolicœur est de nouveau derrière la porte. Cette fois-ci, il a trouvé le bouton.

J'ai un mauvais pressentiment. Et s'il venait pour emmener maman? Pour la mettre dans une maison toute grise où il n'y a que des vieux tout gris, comme celle de mamie? Non, il ne faut surtout pas!

— Bonjour, Alice, tu me reconnais? David Jolicœur de la DPJ. Ta mère est là?

— Elle est très bien ici, monsieur David. Je m'occupe bien d'elle. Je lui fais à manger et tout!

Je sens que le moment est grave, je dois le convaincre.

— Alors faut pas écouter ce qu'on vous dit. Surtout si c'est Mme Jutras. C'est parce qu'elle aime pas Frimousse. C'est un mensonge qu'elle vous a dit. Alors moi aussi je veux faire un signal!

— Un signalement? dit M. Jolicœur, surpris.

— Oui! Je l'ai même vue taper son chien!

Il s'accroupit et répond d'une voix sucrée.

— Écoute, Alice, je ne suis pas là pour emmener ta mère… Pas du tout.

Ouf!

— Je suis là pour toi.

— Pour moi ?

— Qui s'occupe de toi en ce moment ?

— Eh ben… euh… maman. Quand elle est pas fatiguée… Et aussi Alex. C'est mon amoureux.

David aux dents longues a sorti son carnet et prend des notes.

— Tout va bien, Alice. Ne t'en fais pas. Je repasserai, d'accord ?

Je hausse les épaules.

— Mais dis à ta mère de m'appeler, c'est très important.

Cette fois-ci, je remets le carton à maman dès son réveil.

Alors qu'elle déchiffre la petite écriture, les traits de son visage dégringolent.

— Oh non !

— Quoi ? Qu'est-ce qui se passe ?

— Des ennuis…

◇ ◇ ◇

Avec Jenny, on dirait que les problèmes deviennent tout petits. Elle sait soigner les bobos du corps ainsi que ceux de la vie.

Elle me donne la main et nous entrons dans la résidence Les Hirondelles.

C'est elle qui a proposé d'aller rendre visite à Thomas. Je suis si heureuse de le revoir et de le présenter à mon amie ! Même s'il a l'air de sourire, je vois bien qu'il est moins heureux que d'habitude. Je sais que lui aussi a un trou dans la poitrine si on ne se voit pas pendant des semaines.

Les moitiés sont faites pour être ensemble.

Je le serre fort dans mes bras, et sa bave me coule dans l'oreille.

— J'ai tellement de choses à te dire…

Jenny s'approche de lui, et Thomas se met à fermer les yeux puis à les ouvrir, comme des clins d'œil des deux côtés en même temps.

— Il essaie de te charmer, je dis à Jenny. Tu lui plais beaucoup.

Nous passons l'après-midi ensemble et ça remet du soleil dans ma tête. Avec tout ce qui arrive depuis le départ de papa, ma météo aussi commençait à se détraquer.

Mais le sourire de mon frère a pu tout réparer.

◇ ◇ ◇

Mme Kinder, qui semble m'avoir oubliée un peu, montre aujourd'hui les crocs contre Alex. Le problème, c'est qu'il n'est pas du genre à baisser la tête devant le chef de meute. Alors qu'elle approche de son pupitre sans le lâcher des yeux, Alex se met à grogner. Pour de vrai. Il grogne et aboie, ce qui rend la classe hystérique. Je ris avec les autres, malgré l'inquiétude qui monte. Alex risque gros. La semaine passée, Maxime a été renvoyé trois jours pour avoir posé un ver de terre sur la chaise de Kinder. On est tous sous pression à cause de la discipline allemande, et le couvercle est en train de sauter.

Kristina se met à crier dans sa langue autoritaire et le silence revient. Son visage est violet.

Elle attrape Alex par le col, même si c'est interdit d'utiliser la force contre un plus petit que soi, et le traîne dans le couloir. Lorsqu'elle revient, seule, elle s'assoit et nous fixe sans rien dire jusqu'à l'heure de la récréation. On est tous pétrifiés. C'est terriblement angoissant, rien que d'imaginer ce qui peut lui passer par la tête en termes de vengeance. Contre Alex et contre la classe entière. Je me demande si c'est ça qu'on appelle la guerre froide, se faire dévisager par son bourreau en silence.

M. Grandes Dents pointues est revenu avec ses questions. Et avec une femme dont les jambes sont si longues qu'elle ferait une magnifique sauterelle. Cette fois-ci, maman est réveillée. Elle est en robe de chambre, les cheveux dans tous les sens.

Elle les fait entrer, et ils s'installent avec elle dans le salon.

La dame sourit beaucoup, un peu trop même. Le Loup Jolicœur regarde partout et prend des notes.

Sur quoi?

Maman se met à pleurer.

C'est la première fois depuis son problème météo. Elle craque.

Cette visite est un coup de ciseaux dans ses bandelettes.

Assise, la Sauterelle a presque les genoux au menton. Elle se tourne vers moi et me demande de les laisser seuls.

Non, mais pour qui elle se prend?

Je sors et me poste derrière la porte entrouverte. Maman continue de sangloter très fort. Je crois qu'elle s'est retenue trop longtemps. Tant mieux, ça doit être le nuage qui commence à se vider. En me penchant un peu, je parviens à la voir. Sa morve coule sur sa chemise de nuit. Je ne peux pas voir Grand Méchant Loup ni Sauterelle, je suppose qu'ils écrivent dans leurs carnets.

Mais sur quoi? Sur le nombre de mouchoirs qu'elle utilise en trois minutes? Ou sur la couleur de l'avalanche qui sort de son nez?

— On va revenir, madame Fillières. Ne vous dérangez pas, on connaît le chemin.

Lorsque j'entends la porte de l'entrée, je sors de ma cachette et m'assois à côté de maman. Je lui frotte le dos. Comme elle le fait lorsque j'ai du chagrin.

— Pleure, maman, ça fait sortir le méchant.

Je voudrais qu'Astrid soit là. Elle saurait exactement quoi dire pour tout arranger. Les larmes de maman s'arrêteraient de couler, et on finirait la soirée toutes les trois collées devant la télé. Malheureusement, ma tante la fée fait la grève des mots dans un atchoum, et la rivière de chagrin est intarissable.

◇ ◇ ◇

Alex est renvoyé pour une semaine, et toute la classe est punie. Plus de récréations et annulation de la sortie au Musée des beaux-arts. Jenny me raconte qu'il y a eu une réunion « extraordinaire » des professeurs pour gérer la situation. Elle dit qu'Alex aurait dû être exclu plus longtemps encore, mais qu'ils ont pris en compte « l'agression physique » de la part de Mme Kinder. Même si c'est plutôt son tee-shirt qu'elle a agressé, c'est contre le règlement.

— Je ne devrais pas te le dire, mais Alex n'a plus le droit à l'erreur. Il a déjà été renvoyé de sa précédente école pour insolence et il pourrait être exclu définitivement, ajoute Jenny.

— Je savais pas!

— Ce n'est pas le genre de choses dont on se vante, elle répond.

Une semaine sans se voir... Pas de Thomas, non plus. Et une maman en panne.

Quand est-ce que les choses vont se remettre à tourner rond?

◇ ◇ ◇

Astrid dit souvent « C'est un grain de sable dans l'engrenage », pour parler des problèmes. Il y a des grains de sable qui sont beaucoup plus gros que d'autres.

Comme le Loup et sa Sauterelle.

Ils sont de retour.

Après s'être enfermés avec ma mère, ils me font entrer.

Maman, qui a réussi à s'habiller ce matin, est calme. Un peu trop. Elle fixe la tringle à rideaux. Finalement, Sauterelle sort des papiers de son sac, maman les signe sans les lire, et Dents pointues se tourne vers moi en montrant ses canines.

— Tout va bien aller, Alice. Tu vas voir.

Bien sûr que tout va bien aller, qu'est-ce qu'il croit, ce loup-garou débile ? On s'est très bien débrouillées sans lui jusqu'à présent, non ?

Lorsqu'ils repartent, maman me prend sur ses genoux.

Et c'est là que la foudre me tombe dessus.

— Tu vas aller vivre ailleurs quelque temps, ma chérie. Et moi aussi...

— Quoi ? Où ça ? Où est-ce qu'on s'en va ?

Elle secoue la tête en silence avant de continuer.

— Pas ensemble, Alice. Comme tu le sais, je suis un peu malade et...

Ses larmes recommencent à couler.

— ... et je dois aller me faire soigner, tu comprends ? Jusque-là oui, mais...

— Et tu es trop jeune pour rester seule, alors...

Elle renifle, se mouche, renifle encore.

— ... alors tu vas aller vivre dans une autre famille... jusqu'à ce que je me remette sur pied. Ou que ton père trouve un logement. Oh, Alice, je suis désolée !

J'attends que la vague déferle. Trois mouchoirs plus tard, je peux enfin lui poser des questions.

— Mais où ? Dans quelle famille ?

— Une famille d'accueil, ma chérie. Ce sera... un peu comme des vacances, tu sais. À la campagne... avec des animaux...

Des vacances? Je n'ai pas du tout envie d'aller en vacances chez des inconnus, moi!

Sauf que je ne dis rien, parce que maman a l'air de le prendre encore plus mal que moi. Je puise toute la force possible à l'intérieur et je lui souris pour de faux.

— Tout va bien aller, maman, t'en fais pas...

Elle aussi sourit pour de faux, ce qui est un exploit vu le cyclone qui traverse son cerveau.

Si Astrid avait été là, tout aurait été différent.

Mais elle est partie battre des ailes au soleil, et nous, on prend l'eau de tous les côtés.

Le bateau coule et on n'a pas de bouée.

◊ ◊ ◊

Clitch clatch.

Le bruit terrible de la portière déchire ma tête.

Faites qu'il meure avant d'arriver à la porte.

Poc poc poc.

Ses pas sur le perron martèlent mon cœur.

Faites qu'il tombe et se brise toutes les dents.

Toc toc toc.

Faites que maman n'ouvre jamais cette porte.

Des pas de bourreau dans l'escalier.

Faites qu'il ne me trouve pas, que je sois devenue invisible...

Quand Loup-David apparaît sur le seuil de ma chambre, je suis à moitié morte.

— Alice, il faut y aller.

Maman m'a déjà dit au revoir, elle ne veut pas s'effondrer en me voyant partir.

Je suis seule avec le monstre. Il prend ma grosse valise, me fait monter dans l'auto.

Clitch clatch.

Il a démarré, et je suis morte en entier.

# TROISIÈME PARTIE

# Swakopmund

Ouvrir la portière et sauter ?

Non, c'est dangereux, et puis c'est fermé à clé.

Trouver une arme et l'obliger à me ramener ?

Je n'ai rien, à part un élastique à cheveux.

Le convaincre de faire demi-tour, parce que je m'effrite de l'intérieur ?

Inutile, ces gens-là n'ont pas de cœur.


— Faut que j'aille faire pipi.

David Jolicœur regarde dans son rétroviseur pour me voir. Moi, je ne le regarde pas.

Pour qui il se prend, ce faux Zorro ? Faire croire qu'il protège les enfants...

Si je pouvais, je la lui arracherais, sa cape. Et je la piétinerais.


En sortant des toilettes, je me hisse jusqu'au robinet. Un, deux, trois. Quatre gorgées. Je m'essuie la bouche, reprends mon souffle puis me penche à nouveau. Cinq, six, sept, huit, neuf... dix gorgées.

Le Loup a dit que je pouvais acheter quelque chose à manger. Je repère un énorme carton de jus d'orange. Quatre litres, c'est lourd.

Il arrive par-derrière.

— T'es sûre que tu vas boire tout ça?

Je ne réponds pas. J'ai le regard qui le transperce.

Il me délivre du poids et se dirige vers la caisse.

On remonte. En silence.

— Tiens, je t'ai pris une paille, ce sera plus facile.

Je tends la main.

Kilomètre 128: dix gorgées.

Kilomètre 134: quatre gorgées.

Kilomètre 146: sept gorgées.

Kilomètre 168...

— Faut que je fasse pipi.

— Déjà?

— ...

— D'accord. Je sors à la prochaine sortie.

L'auto à peine arrêtée, je fonce vers les toilettes.

Une fois soulagée, je m'attarde à la fontaine. L'eau mêlée au jus tente de remonter, mais je continue de boire.

Lui, il attend dehors. Il sent la cigarette.

Kilomètre 174: cinq gorgées.

Dans mon estomac se forment des vagues orange.

Au kilomètre 230, le bouton de mon pantalon me rentre dans le ventre.

— J'ai très envie de faire pipi!

— Écoute, Alice, c'est pas possible! Je m'arrête, mais confisqué, le jus d'orange!

Regard tranchant.

— C'est parce que j'ai soif.

Cette fois, c'est lui qui ne répond pas.

Je l'imagine tomber dans le vide. Dans un néant noir et puant. Au fond gît sa cape de Zorro, mise en pièces.

Après l'arrêt toilette, au moment où on s'apprête à reprendre la route, j'aperçois un drôle d'homme, les cheveux dressés vers le haut, tout comme son pouce.

— Il faut l'emmener, monsieur David !

Mon conducteur semble hésiter, marmonne quelque chose sur l'importance de rendre service puis fait marche arrière.

— Vous allez où ? il demande au monsieur dehors.

— Le plus loin possible, répond l'homme avec un grand sourire.

Je remarque qu'il a deux dents en or.

— Non, je plaisante. Je dois me rendre à une centaine de kilomètres d'ici. La sortie de la rivière au Loup.

David lui fait un signe de tête, et il monte à l'avant.

— Est-ce qu'il y a vraiment des loups dans la rivière ? je demande.

Grandes Dents se retourne, il a l'air surpris de m'entendre parler.

— Eh bien, la légende raconte qu'un loup s'y est noyé. Je m'appelle Max, et toi ?

— Alice. Alors quelqu'un l'a vu se noyer, c'est ça ?

— Elle est drôlement éveillée, votre fille ! lance Max.

— Ce n'est pas ma...

— ... pas mon père ! je crie par-dessus sa voix.

Max ne dit rien.

— Moi, c'est David, dit Faux-Zorro en lâchant le volant d'une main pour serrer celle du nouveau passager.

Max se tourne vers moi.

— L'histoire dit qu'un jour un enfant d'à peu près ton âge s'est laissé surprendre par la noirceur alors qu'il pêchait au bord de la rivière. Le loup l'a repéré et a voulu n'en faire qu'une bouchée. Crountch !

Je sursaute.

— Il l'a mangé ?

— Non, il ne l'a pas mangé. Le petit Marcel a eu le réflexe de se jeter à l'eau et le loup a plongé derrière lui. Il faut savoir que le courant de cette rivière est d'une force inouïe.

Je me laisse hypnotiser par le conteur aux dents d'or.

— Seulement, Marcel était un fameux nageur, poursuit Max. Il a réussi à s'agripper à un tronc d'arbre flottant tandis que, du loup, il n'a entendu que les derniers glouglous. Voilà l'histoire de la rivière au Loup.

Je le dévisage, en admiration. J'en viens presque à oublier pourquoi je suis là, dans cette voiture, ainsi que les élancements de mon cœur qui crie au secours.

— Tu veux du jus d'orange, Max ? je propose en guettant Longues Dents du coin de l'œil.

— Avec plaisir.

David sort le jus de sous son siège sans rien dire.

— T'en connais d'autres, des histoires ?

— J'en ai plein la tête, des histoires, répond Max en m'offrant son sourire d'or. J'en connais à l'infini. Mais toi d'abord, raconte-moi quelque chose...

Je me cale dans le fond du siège, bras croisés.

— C'est l'histoire d'une petite fille qui vit avec sa mère, et elles sont très heureuses. Elle a des amis et une belle vie. Sauf qu'un jour un monstre l'attrape et l'emmène loin de ceux qu'elle aime, et voilà, c'est la fin.

— Hum, fait Max en se caressant le menton. C'est une bonne histoire. Mais pourquoi le monstre l'emporte avec lui ? Est-ce qu'il mange les enfants ?

— Ben non, il mange pas les enfants ! Il... il...

Je me tourne vers la vitre.

— Je sais pas. C'est un monstre, c'est tout.

— Et si on demandait à David de compléter l'histoire, qu'est-ce que t'en dis ?

— Non ! Il la sait pas !

— Je peux en raconter une autre alors, dit David. Une autre histoire, d'accord ?

Je hausse les épaules.

— C'est l'histoire d'un jeune arbre, un magnifique petit bouleau blanc en pleine croissance. Il a beaucoup d'énergie et il aide tous les arbres autour de lui, petits et grands. Mais son arbre protecteur est vieux et fatigué. Et le petit arbre ne sent pas que la terre où il est planté est bien trop sèche. Il ne sait pas que le moindre coup de vent pourrait le déraciner...

Je regarde dehors, faisant mine de ne pas écouter. Je n'aime pas du tout son histoire.

— Un jour, un chêne arrive, car le Grand Sage des arbres lui a demandé d'aller chercher le jeune bouleau et de le planter là où la terre est riche et fertile. Le bouleau résiste, il ne veut pas quitter cette forêt qu'il aime tant. Rempli de peine et de colère, il sent qu'on le déracine. Il voudrait brûler le chêne tant son cœur est gros.

Je détourne un peu plus la tête pour ne pas laisser voir mes larmes qui menacent de déborder.

— Je préfère les histoires de Max, au moins elles finissent bien, je dis tout bas.

— Elle n'est pas finie... Elle ne fait que commencer, répond David d'une voix douce, en jetant de brefs regards vers moi.

— Alors, qu'est-ce qui se passe après ? l'interroge notre auto-stoppeur, qui aurait mieux fait de se taire.

— Il découvre d'autres forêts, d'autres mondes, d'autres amis arbres ! Peut-être qu'il ne fera pas ses racines tout de suite, qu'il attendra d'être sûr de se sentir bien dans sa nouvelle terre. Un jour, son cœur le lui dira... N'est-ce pas, Max, que c'est ainsi dans le monde des arbres ?

Ce dernier hoche la tête.

— Oui, tout à fait comme ça.

Je me pelotonne contre la portière, luttant contre une soudaine vague de sommeil qui cherche à m'entraîner loin.

— Est-ce qu'il va revoir sa famille un jour ? je parviens à demander d'une voix chevrotante.

Je vois Max faire un signe à David, et c'est lui qui poursuit.

— Bien sûr qu'il la reverra. Et puis ils continueront à se parler. Sais-tu comment les arbres communiquent entre eux lorsqu'ils sont loin les uns des autres ?

Les yeux fermés, je secoue la tête. Dents d'or continue.

— Il y a les oiseaux, qui peuvent porter des messages sur de grandes distances. Il y a aussi les feuilles...

— Les feuilles ? j'articule, à demi consciente.

— En automne, lorsque les arbres perdent leurs feuilles, ils demandent au vent de les faire voler jusqu'à ceux à qui ils veulent parler. L'automne sert à cela, c'est une grande valse de messages d'amour que les arbres s'échangent.

Je me sens emportée sur une feuille et glisse dans un autre monde.

À mon réveil, la douleur dans mon cœur est partie et Max aussi.

David m'entend bâiller et me tend un bout de papier. On dirait un hiéroglyphe.

— J'arrive pas à lire.

Il le reprend et lit pour moi, en gardant un œil sur la route.

« Alice, merci d'avoir écouté mes histoires avec autant d'intérêt. Elles ont besoin d'oreilles attentives pour ne pas mourir. Peu importe la force du courant dans ta vie, tu t'en sortiras. Je le sais, j'ai le flair pour ces choses-là. Amitiés, Max »

— Pourquoi il avait des dents en or ?

— C'est une bonne question. Je n'ai pas pensé à la lui poser.

On roule encore et encore. David a mis de la musique classique, et les notes rebondissent sur les parois de l'auto avant de se déposer doucement au creux de mes oreilles.

On s'arrête.

Je déambule au hasard des rayons de la station-service.

— T'as faim ? demande David, qui m'a rejointe.

Je fais non de la tête.

— Soif ?

— Oh non ! Je ne boirai plus pendant au moins une semaine !

On se regarde et il sourit.

Il attrape ma main et je le laisse faire. On marche comme ça, en silence, jusqu'à la voiture.

Avant de redémarrer, il sort un grand livre de son sac et me le remet.

— C'est pour toi.

Je le prends.

Sur la couverture, la planète Terre flotte dans l'espace.

Au fil des kilomètres, je laisse mon doigt errer au hasard des pages. Des formes colorées de pays défilent. Des noms de ville... Des horizons lointains.

Malosmadulu.

Macao.

Kapingamarangi.

Chaque mot se déploie en formule magique.

Caracas.

Guayaquil.

— Merci, je dis doucement.

Le reste du voyage est silencieux. Comme Astrid dans son lieu sans paroles. Je laisse les syllabes merveilleuses de l'atlas se métamorphoser en moi. Elles me chatouillent le ventre.

Lorsque David coupe le contact, on fait face à une maison de pierres.

Il y a de grands arbres et une niche à chien.

Une femme apparaît à la porte, s'essuyant les mains sur un tablier rose.

— Je m'appelle Noëlla. Bienvenue chez nous, Alice.

Elle bouge les mains quand elle parle. Ses cheveux sont emprisonnés dans un foulard.

Elle sourit à David.

— Entrez vous reposer quelques instants, vous avez un long voyage de retour à faire.

Elle nous sert de la limonade, mais mon estomac refuse de boire. Il a encore des souvenirs acides de jus d'orange.

C'est là que je vais vivre ? Je ne sais même pas où je suis. Peut-être dans un endroit au nom étrange comme Swakopmund ou Ouagadougou.

Loin de maman. Loin d'Alex et de Thomas. Kid-nappée par un loup et une sauterelle.

La voiture disparaît au bout du chemin.

La femme me prend la main et m'entraîne dehors. Un chien jaune se précipite vers nous.

— Tout doux, Filante... Je te présente Alice.

Le chien me lèche l'autre main.

— C'est notre vieille chienne. Quand on l'a eue, sa couleur était aussi brillante qu'une étoile. Elle a un peu terni avec les années. Comme nous, je suppose, dit Noëlla dans un rire.

Filante nous suit en reniflant par terre.

— Là, ce sont les cages à lapins. Et juste là, l'écurie.

Des lapins ? Des chevaux ? Je ne peux y croire. Est-ce que je me suis mise à rêver au milieu d'un cauchemar ?

Noëlla m'annonce que, ce soir, je rencontrerai « les autres ». Vince et Everett.

— Ils sont un peu remuants, mais pas bien méchants.

— C'est tes enfants ?

— Non. On les accueille chez nous, tout comme toi. Ma fille, Amélie, vient nous rendre visite quand elle peut. C'est une grande fille qui vit sa vie.

Kivisavi... Ça pourrait en être une, formule magique.

La maison sent le chocolat. Noëlla sort des biscuits du four, en met trois sur une assiette et me propose de la suivre en haut de l'escalier.

— Voilà ta chambre. Installe-toi !

Elle me donne l'assiette.

Il y a un petit singe en peluche qui dort sur le lit. Le drap est fleuri. Il se repose au milieu des fleurs bleues, comme si dormir était la seule chose à faire lorsque le monde est en train de s'écrouler. Alors je l'imite, je me couche à ses côtés et ferme les yeux. Les larmes coulent tout doucement sur le petit singe qui ne dit rien. Je l'appellerai Mouchoir.

J'entends des voix en bas. Celle de Noëlla et d'autres que je ne connais pas.

Je m'aventure dans le couloir à la recherche des toilettes et aussi pour visiter un peu. Un garçon déboule devant moi. Son crâne est presque rasé et il me dépasse de deux têtes.

En m'apercevant, il se fige, plisse les yeux et sourit en tordant la bouche.

— Ah, c'est toi, la nouvelle...

À l'entendre, je ne crois pas qu'il attende de réponse. Il me détaille de la tête aux pieds, et je me sens mal à l'aise.

— Je... euh... les toilettes sont où ?

Il pose son bras contre le mur, me barrant le passage, et fait un mouvement de tête vers l'arrière.

— C'est là-bas.

Il ne bouge pas, et je ne sais pas quoi faire.

Je tente un mouvement sur le côté, mais son autre bras me barre le passage. Je me penche pour passer en dessous, et il baisse la main pour m'en empêcher.

Qu'est-ce qu'il veut ?

— C'est moi qui vais y aller le premier.

Je fais mine de repartir vers ma chambre, mais il m'attrape par le col.

— On aime pas les histoires ici... Tu ferais mieux de rien dire, sinon Nol et Dan vont te renvoyer aux Débiles Pires que Jamais, qui vont te refiler à une autre famille. Et eux aussi, quand ils vont être tannés, ils vont te jeter.

Il pointe son doigt vers mon visage.

— C'est comme ça que ça marche. Moi, j'en ai fait quatre, des ostie d'familles ! Vaut mieux t'habituer tout d'suite. Tu devrais même pas défaire ta valise...

Je me tortille, et il finit par me lâcher.

*Il fait ça pour m'impressionner, comme les chiens qui jappent,* que je me répète à l'intérieur.

Je le regarde attentivement. Il porte un jeans trop grand et un tee-shirt noir déformé qui laisse voir des cicatrices sur ses bras.

— C'est quoi, les Débiles Pires que Jamais ? je demande d'une petite voix.

— DPJ.

Ses yeux ont des tics nerveux comme les méchants dans les films.

— Au fait, j'm'appelle Everett, il lance avant de tourner les talons.

Je reste figée au milieu du couloir.

Je n'ai plus envie de faire pipi, mais plutôt de fuir au plus vite cette maison.

◇ ◇ ◇

Noëlla toque à la porte de la chambre en s'annonçant.

— C'est l'heure du repas. Mon mari et Vince sont arrivés.

Lorsque je pénètre dans la salle à manger, l'homme et le garçon que je n'ai pas encore rencontrés me dévisagent. Le monsieur sourit à travers une barbe noire. L'autre, probablement Vince, a plus de boutons que de visage et ne sourit pas.

— Tu as fait la connaissance d'Everett, je crois, dit Noëlla. Voici Daniel, mon époux, et Vince, un charmant garçon qui ne sait pas encore l'être tout le temps, n'est-ce pas, Vivi?

— *Don't call me Vivi, I've already told you!*

J'ouvre de grands yeux. Il ne parle pas français en plus?

Noëlla a dû m'entendre penser, car elle poursuit.

— Il sait très bien parler français, de mieux en mieux. Mais il faut le lui rappeler. Tout comme il faut lui rappeler qu'il peut être charmant.

— Ha ha! Le prince charmant radioactif! ricane Everett.

Vince se lève, tout rouge, sauf ses boutons, qui restent jaunes.

Daniel le fait rasseoir en pointant son doigt vers Everett.

— Pas de ça ici, tu le sais. On a signé un contrat tous ensemble. Le respect, ça te dit quelque chose ou bien tu veux que je te rafraîchisse la mémoire?

— C'est bon, je m'excuse, répond Everett.

Noëlla m'explique que Daniel et elle sont une « famille d'accueil ».

— On est un peu comme des cueilleurs. On ramasse les fruits qui sont tombés de l'arbre et on s'assure qu'ils mûrissent bien.

— *Will you eat us when we're juicy enough?* baragouine Vince dans sa langue dont on ne comprend rien.

— En français, s'il te plaît, dit Daniel.

Vince commence à manger bruyamment sans répondre. On ne sait plus si les taches autour de sa bouche sont des restes de soupe ou des débuts de boutons.

Noëlla ajoute que tout le monde participe aux tâches, autant celles de la maison que celles qui concernent les animaux.

Pour ça, je crois avoir l'habitude.

— Faut la mettre sur la liste, dit Everett en montrant les dents.

Est-ce que c'est un sourire ou une grimace?

— *Yes*, sur la liste *like everybody else*! ajoute Vince.

— Pis même pour la job de sang, enchaîne Everett, les traits toujours tordus.

C'est peut-être à ça que ressemble un vampire...

— *Yes*, faut qu'elle fasse la job de sang *also*, continue le perroquet assis à côté de lui.

— Arrête de répéter tout ce que je dis, espèce de clone raté.

— J'suis ton clone vraiment *better*, *so* tu peux imaginer qui est raté!

Les deux se sont levés en même temps et se font face.

— Stop, on arrête ça là, tout de suite! tonne Daniel.

Est-ce que ça va toujours être comme ça?

Je crois bien ne pas être tombée du bon côté de l'arbre.


Alors que je me mets au lit, Noëlla vient me voir.

— Ne fais pas attention aux garçons... Ils ont besoin de se montrer qui est le plus fort. C'est les hormones.

Elle s'apprête à partir lorsque j'ose lui poser la question qui me trotte dans la tête depuis une heure.

— C'est... c'est quoi, la job de sang?

— Ne t'en fais pas avec ça. Sur une ferme, il y en a pour tous les goûts. Si tu te contentes de nourrir les chevaux et les lapins, ça nous ira très bien.

À moi aussi, ça me va.

Je voudrais n'avoir à faire que ça et ne surtout pas aller à cette nouvelle école dans deux jours.

— C'est juste pour ne pas prendre de retard, tu feras ce que tu peux, a dit Noëlla.

Ils vont avoir l'air de quoi, les élèves? Et est-ce qu'il existe une Sabrina partout où l'on va? Un genre de vautour qui se nourrit de cruauté?

◊ ◊ ◊

Le lendemain, Noëlla me présente à Éclair, Rubis et Élixir.

On nettoie leur écurie, on leur apporte à boire, on les brosse. Je tends une pomme à Rubis, la jument, et elle sort son énorme langue pour l'attraper. C'est la première fois que je m'occupe de chevaux.

— On prend soin des animaux à tour de rôle. Mais fais attention de ne pas t'attacher à eux. C'est une ferme, tu sais, dit Noëlla en arrivant devant les cages à lapins.

Je l'écoute d'une oreille distraite tandis que je tombe sous le charme du petit roux. Je l'appellerai Doux-Doux.

Les Hormones de la maison sont en expédition. Les deux ados sont allés faire de la survie en forêt, et ça avait l'air de les exciter beaucoup. Ils jouent à faire comme s'ils étaient perdus ou en danger, des choses comme ça, qui ne sont pas drôles du tout.

— Si tu veux appeler ta mère, tu peux, propose Noëlla en rentrant.

— On a pas le droit, parce qu'elle doit d'abord aller mieux.

C'est ce que maman m'a dit avant qu'on se quitte. Peut-être qu'on ne peut pas parler pendant qu'on se démomifie.

— Je comprends, répond Noëlla.

Je reste à regarder par la fenêtre pendant qu'elle prépare à manger.

J'ai disparu de ma vie, et Alex ne sait pas où. Ni Tim. Ni Jenny. Et même pas Thomas.

Je vois ma chaise vide dans la classe et Kristina qui aboie sur mon fantôme.

Est-ce qu'ils vont me croire enlevée par des extraterrestres ?

— Madame Noëlla ?

Elle arrête le robinet, dépose le bol luisant de propreté sur le comptoir, s'essuie les mains, puis se retourne. Sourire.

On dirait qu'elle a tout son temps. Tout le temps. Pour tout le monde. Que ce soit pour écouter les humains, parler aux lapins ou peler les carottes.

— Tu peux m'appeler Noëlla tout court.

Re-sourire.

— Il faut que je téléphone... à quelqu'un.

— Bien sûr.

Elle fait un numéro spécial « longue distance » – je suis si loin que ça ? – puis me laisse seule dans le salon. Une voix me dit : « Vous avez cent trente-huit minutes. » Je ne sais pas si ce temps-là sera trop long ou trop court.

— Alex !

— Alice ?

— ...

— ...

J'ai les jambes faibles.

— Alex, je suis plus là. Là-bas, chez moi.

— Je sais.

— ...

— T'es où ?

— Dans une longue distance. Peut-être à Java ou à Kuala Lumpur, je sais pas.

— ...

— Grandes Dents m'a amenée ici le temps que maman se démomifie.

— ...

Il a dit « Tu me manques » sans parler, et j'ai eu envie de pleurer.

— Toi aussi.

On a continué à s'écouter sans mots jusqu'à ce que j'entende les Hormones rentrer.

— Je dois y aller.

— ...

— ...

— Moi aussi.

J'ouvre l'atlas à mots magiques avant d'aller dormir. Kovalam et Caracas me souhaitent bonne nuit.

◇ ◇ ◇

Je suis assise à l'avant parce que c'est un *pick-up*, et Noëlla conduit. Les autres ont pris l'autobus scolaire, ils vont au secondaire.

Après une dizaine de minutes, on s'arrête et elle désigne une grosse maison qui ne ressemble pas du tout à une école.

— C'est là !

Elle semble très heureuse pour moi.

Il y a une vieille dame toute ridée à l'entrée. En m'apercevant, elle frappe des mains comme une petite fille.

— Ah, te voilà ! Je suis enchantée de te rencontrer, Alice. Je suis Marianne, la directrice. Je fais l'accueil du matin et j'enseigne de temps à autre. Tu verras, on est comme une famille ici.

Noëlla me fait une bise sur la tête et Marianne m'entraîne à l'intérieur. Nous montons des escaliers recouverts de tapis pour arriver à l'étage. Dans le couloir, je remarque les porte-manteaux avec le prénom des élèves au-dessus. Il y en a très peu.

Nous pénétrons dans la salle de classe, qui a plutôt l'air d'un grand salon.

— Geneviève, les enfants... voici Alice. Alice, je te présente ton enseignante, Geneviève, et tes nouveaux camarades.

Les élèves, assis autour de trois tables rondes, se tournent vers moi. Ils n'ont pas tous le même âge.

La maîtresse me montre où m'asseoir et me demande de me présenter.

— Bonjour, je m'appelle Alice.

— Peux-tu nous parler de toi, Alice ?

— D'accord.

Par où commencer ?

Je prends une grande inspiration.

— Mes parents vont divorcer, et ma mère est devenue une momie qui pleure, alors les Débiles Pires que Jamais m'ont emmenée chez Nol et Dan. Maintenant, je me retrouve ici dans cette maison qui se prend pour une école...

Le silence règne dans la pièce. Finalement, Geneviève se racle la gorge.

— Eh bien, merci, Alice. Qui veut se présenter à notre nouvelle amie ?

Un garçon blond se lève et se met à se dandiner.

— Moi, je m'appelle Nelson, et mes parents sont partis en fumée.

— Ouais, même que c'était un Boeing 747 qui s'est écrasé, schprrrffff, le coupe un petit qui fait de grands gestes dans les airs.

— Philippe, ce n'est pas ton tour ! dit Geneviève assez fort. Je vous demanderais de vous nommer, pas nécessairement de raconter vos... histoires personnelles, d'accord ?

Les autres se présentent avec leurs noms et disent où ils habitent. C'est dommage parce que je trouvais ça intéressant, moi, les histoires personnelles.

C'est la récré, et je regarde par terre. J'observe les pieds qui jouent, les chaussures qui courent et celles qui ne bougent pas. Des baskets rouges s'approchent de moi.

— Salut, me dit leur propriétaire.

Je lève les yeux pour répondre.

— Salut. Je me rappelle plus ton nom. Y en avait trop à retenir en même temps.

— C'est Ganesh.

— Ga... quoi ?

— Ganesh. C'est un nom indien.

Des noms de la page 118 commencent à affluer dans ma tête. Jaipur, Tamil Nadu... Je ne me souviens même pas de les avoir lus.

— Moi, c'est Alice.

— Oui, je sais.

Il reste là, à me fixer à travers ses lunettes. Il y a une étoile dorée sur chaque branche, ce qui les rend un peu moins laides.

— Pourquoi t'as un nom indien ? je finis par demander, gênée d'être dévisagée en silence par des Nike rouges et deux étoiles.

Ganesh sourit et son visage devient presque agréable à regarder.

— C'est ma mère. Elle est passionnée par l'hindouisme et tout. Ganesh est un dieu, il a une tête d'éléphant.

— Ah ? je réponds, en me disant qu'il porte bien son nom.

Geneviève est bien plus sympathique que Kristina. Sa voix est douce, et elle ne met pas les poings sur les hanches dès qu'il y a du bruit.

Ce qui est bizarre, c'est qu'on est tous dans la même salle, mais pas tous dans la même classe. C'est parce qu'il n'y a pas assez d'élèves, alors ils ont décidé de les mélanger. On n'est que trois à être en quatrième année. Ganesh, Marie et moi.

Pendant que Geneviève explique la lecture aux plus petits, nous, on doit faire un exercice de mathématiques. Je souris à Marie et elle me chuchote :

— Je veux pas être ton amie. Tu vas partir bientôt et je veux pas perdre une amie.

— D'accord, on sera pas amies, je lui dis.

C'est intelligent de sa part d'y penser avant qu'il ne soit trop tard.

Nelson, celui qui a des parents partis en fumée, a des problèmes d'attention. Il pense à haute voix et se lève toutes les cinq minutes comme s'il avait un ressort aux fesses. Chaque fois, la maîtresse fait « Tttt tttt tttt » avec sa bouche, et il se rassoit pendant les cinq minutes suivantes.

Je ne crois pas qu'il y ait une Sabrina à l'école.

Tant mieux, j'ai déjà assez d'un Everett à la maison.

Hier, j'ai appris d'autres mots magiques et j'ai découvert que l'Everest est la plus haute montagne sur terre. Alors j'ai rebaptisé ce gorille.

Everest, le plus grand idiot du monde.

◇ ◇ ◇

Dans la voiture, Noëlla m'annonce que, ce soir, sa fille sera là.

Amélie.

J'ai vraiment hâte de la rencontrer.

Pourquoi ne vit-elle pas à la maison ?

Peut-être que les Débiles Pires que Jamais l'ont, elle aussi, mise dans une famille d'accueil.

Everest l'a dit :

— La DPJ, ils s'arrangent toujours pour t'envoyer quelque part. Ils devraient devenir une agence de voyages à la place...

Une jeune femme entre dans le salon, et tout ce que je vois, ce sont ses cheveux. Ils se balancent dans les airs, gracieux et accueillants. On voudrait se blottir dedans.

Elle se plante en face de moi, auréolée par sa chevelure aux reflets roux, et me tend la main.

— Salut, moi, c'est Amélie.

— Je m'appelle Alice, je murmure, totalement sous le charme.

Comment peut-on être si belle des cheveux ? Elle est mieux que la fille des publicités de shampoing. En plus, ce sont des vrais, pas des cheveux fabriqués par ordinateur.

— Amélie étudie en coiffure, me dit Noëlla.

Voilà. Elle doit connaître tous les secrets des mondes chevelus.

Astrid dit qu'il faut être beau du dedans. Sauf que personne ne peut le voir.

J'ai envie d'être aussi belle que les cheveux d'Amélie. Dedans et dehors.

En me brossant les dents ce soir-là, je me regarde avec attention dans le miroir. Je ne brille pas des cheveux. Ni des yeux. Ni du cœur. Je ne brille de nulle part.

◇ ◇ ◇

Le lustre au plafond crée une lumière douce.

Finalement, je commence à m'habituer à être en classe dans un salon.

Avec les élèves qui n'étudient pas tous la même chose, Ganesh et sa tête d'éléphant, Marie qui ne sera pas mon amie, et Nelson, la pile électrique.

Le soir, en rentrant, je retrouve Doux-Doux et je le cajole. Je parle avec Filante et brosse Élixir ou Rubis. Pour Éclair, il faut que Noëlla ou Daniel soient là, car il est encore un peu sauvage.

Je crois bien que cela fait une semaine que je suis là, mais je n'ai pas compté.

J'essaie de ne plus penser à ma vie d'avant. Je mets des murs autour de mes souvenirs, mais parfois il y a des fissures, et les images veulent envahir ma tête. Je ne dois pas les laisser faire.

À la télé, il y a une émission pour apprendre à construire des maisons. Je la regarde quand c'est possible. Ossature en bois, laine de verre, mortier, ciment, coulis, contreplaqué, pare-vapeur...

C'est bien plus compliqué qu'il n'y paraît.

Everest et Vince se moquent de moi. Ils disent que j'ai un sérieux problème pour m'intéresser à ces choses-là, surtout en tant que fille. Comment leur faire comprendre que je veux apprendre à perfectionner mes murs pour oublier le passé ?

◊ ◊ ◊

Je suis seule avec le monstre.

Everest s'assoit sur moi et me cloue les poignets au sol.

— Alors, la sangsue, tu fais moins la fière, hein ?

— Toi, tu sais même pas attacher tes chaussures à douze ans, t'es trop débile ! je lui crie dans la figure.

— N'importe quoi ! T'as rien trouvé d'autre ?

— C'est vrai ! Je l'ai vu dans la lettre que Nol a reçue de ta *spy*.

Il y a un léger relâchement de la pression sur mes bras.

— On dit pas *spy*, on dit *psy*. Et pis, tu sais pas ce que tu dis.

— Je l'ai lu. Elle a écrit « trouble d'attachement ». Je sais lire, quand même...

Everest ricane.

— Elle parlait pas de chaussures, sale mite...

Il resserre son emprise tellement fort que je ne sens plus mes mains.

— Ce que t'as lu, ça veut dire que quand j'suis énervé - comme maintenant - j'attache les gens... Je les ligote et je les laisse pourrir sur place. Tu comprends mieux, la punaise?

Je me tortille sous son poids, tout en cherchant comment m'échapper. Mes mains doivent commencer à être bleues.

La porte d'entrée claque. Ouf! Noëlla est de retour.    117

— Lâche-moi maintenant! je crie pour qu'elle nous entende.

— T'as pas intérêt à lui dire, compris? fait Everest en s'écartant.

Je frotte mes poignets et rabats mes manches lorsque Noëlla apparaît en haut de l'escalier.

— Tout va bien, ici?

Je hoche la tête tandis qu'Everest disparaît dans sa chambre.

Ce n'est pas juste le plus grand idiot du monde, c'est aussi le plus fou.

Noëlla se dirige vers la salle de bain, et moi, vers la sécurité de ma chambre.

Je repense à la lettre de la *spy*.

Je préfère dire *spy*, parce que, en anglais, ça veut dire « espion ». Et les psys, ils essaient d'entrer dans notre tête pour connaître les secrets qui sont à l'intérieur.

La *spy* d'Everest, elle doit avoir une montagne de choses terribles à déterrer.

On toque doucement à la porte. C'est Noëlla.

— Tu peux entrer.

Elle vient s'asseoir près de moi et m'embrasse la tête.

— Comment va ma petite fée?

Je plonge mes yeux dans les siens et m'y repose quelques instants.

— Tout a bien été pendant mon absence? Pas de chicanes avec notre chimpanzé de service? elle demande, en me caressant le menton.

Je souris. Le surnom est bien trouvé.

— Ça veut dire quoi « trouble d'attachement »?

Elle me relève la tête avec le doigt.

— Quelqu'un a laissé traîner ses yeux là où ça ne la regardait pas, on dirait!

— ...

— Tu sais, le chimpanzé, il fait ce qu'il peut pour survivre. Il n'est pas réellement méchant.

Son visage devient sérieux.

— Il y a comme une bête en lui... qui le pousse à faire des choses désagréables. Et s'il ne le fait pas, la bête lui fait mal. Tu comprends?

— Une bête?

— C'est une image. Pour dire que c'est presque incontrôlable.

J'y réfléchis un moment.

— Pour l'attachement aussi, c'est incontrôlable? je finis par demander.

— Qu'est-ce que tu veux dire?

— Quand il peut pas s'empêcher d'attacher les gens... à cause du trouble d'attachement...

Noëlla se met à rire.

— Mademoiselle Alice, vous ne perdez jamais le nord! Non, ce n'est pas ça, un trouble d'attachement. Ça veut juste dire qu'il a peur d'aimer.

— Peur d'aimer ? Pourquoi ?

— Parce qu'il a déjà eu trop mal pour son âge…

Je me laisse aller contre Noëlla, réconfortée par sa présence.

— Tu sais, moi aussi alors…

— Toi aussi, quoi ?

— J'ai le trouble d'attachement.

Elle ne répond pas, se contentant de me bercer tendrement.

On reste là sans rien dire, et je me sens mieux.

Noëlla est comme un bonbon pour la gorge, ça fait tout doux à l'intérieur.

◇ ◇ ◇

À l'école, il y a une *spy* qui vient en visite deux fois par mois. Elle est là aujourd'hui et Geneviève me propose d'aller la voir. Peut-être parce que je suis nouvelle.

Marianne, la directrice, vient me chercher et m'accompagne jusqu'à son bureau. C'est là que travaille la *spy* puisque cette école n'a pas assez de pièces pour tout le monde. Ça tombe mal parce que j'étais en train d'étudier la géographie, la matière qui me rend le plus heureuse.

— Entre et assieds-toi, Alice. Je suis Lucie Martajex, tu peux m'appeler Lucie.

Elle a un nom de marque de lessive, ce qui n'est pas très encourageant.

Je m'assois face à elle. Je n'en reviens pas de manquer le cours le plus passionnant de la journée pour discuter avec une vendeuse de détergent.

— Sais-tu pourquoi on se rencontre, Alice ?

Je secoue la tête, même si j'ai ma petite idée.

— Ton professeur a pensé que ça pourrait t'aider… de parler de ce que tu vis. De tes peines, de tes peurs. C'est mon métier…

— Vous allez faire quoi ? je lui demande.

— Eh bien, t'écouter.

— Ah ?

Lucie Martajex me fixe en hochant la tête. Elle ressemble aux petits chiens qu'on met sur la plage arrière des voitures et qui ne s'arrêtent jamais de faire oui.

— Et si j'ai rien à dire ?

— Tu peux rester silencieuse si tu le désires. Mais je t'invite à me raconter quelque chose, à t'exprimer... puisque tu es là pour ça.

Xinjiang. C'est tout ce à quoi je pense. C'est en Chine. J'ai découvert ce pays hier, et il déborde de noms magiques.

— À quoi penses-tu ?

— Xinjiang.

Elle fronce les sourcils et se racle la gorge.

— Aimerais-tu dessiner ?

— Non.

— ...

— ...

— Alice, je... j'aimerais que tu me parles de tes parents.

— Ils se sont séparés.

— Oui, je sais. Ce que j'aimerais, c'est que tu me dises ce que tu ressens par rapport à ça.

Je repense à sa mission : espionner les pensées. Qu'est-ce qu'elle espère donc trouver dans les miennes ?

— Rien. Je ressens rien de spécial.

J'hésite à lui parler d'Everest, qui est un problème bien plus grave en ce moment.

— Tu ressens sûrement quelque chose. De la peine, peut-être. Ou de la colère...

— Non.

Mauvaise réponse. Martajex semble nerveuse. Elle se gratte le menton, hoche sa tête de petit chien. Je sens qu'il faut renverser la situation si je ne veux pas manquer toutes les heures de géographie des prochaines semaines.

— Vous aimez les films d'espionnage ?

Mme Propre ouvre grands les yeux.

— Arrêtons-nous là pour aujourd'hui. Je te raccompagne en classe, elle finit par répondre.

Je me demande à quoi nos secrets peuvent bien leur servir, aux *spys*. Ce n'est pas comme s'ils pouvaient les empiler sur une étagère pour en faire une collection.

◇ ◇ ◇

Amélie est là. Dès qu'elle bouge, ses cheveux ondulent, et ça me fascine. Je voudrais les mettre sous verre pour pouvoir les admirer tout le temps.

Elle m'a promis un « diagnostic » après le souper. Je ne sais pas exactement en quoi ça consiste, mais je suis tout excitée.

Malheureusement, Everest a décidé de se montrer aussi détestable que d'habitude.

— J'veux pas manger en face de lui, ses boutons me font vomir. Tronche de fromage moisi ! il aboie, en fixant Vince.

Pourtant, Vince fait ce qu'il peut, il cherche désespérément une recette miracle à ses boutons qui s'obstinent à envahir son visage.

— *He was smoking in the toilets at school !* il réplique, tout rouge, en pointant son index vers Everest.

— Ouais, ben, il cache des condoms dans son portefeuille... comme s'il pouvait pogner avec sa face de cratères !

Vince se lève et tape du poing sur la table. Manque de chance, il heurte le bord de son assiette, qui se brise sous le choc.

Je n'en peux plus de ces deux singes. Surtout les soirs où Amélie est là. J'ai peur qu'elle décide de ne plus venir.

— Il casse toujours quelque chose, lui ! je dis, en souhaitant détourner l'attention pour mettre fin à leur règlement de comptes. Même qu'il m'a abîmé ma calculatrice...

— Ça suffit ! tonne Daniel. Allez, ouste ! Tous les trois dans vos chambres ! Depuis quand on a oublié de se respecter dans cette maison ? Allez, du balai, et plus vite que ça !

— Mais moi, j'ai rien fait ! je tente de protester.

— J'ai dit hors de ma vue, TOUS LES TROIS !

On s'éclipse rapidement, avant qu'il ne pleuve des punitions.


À l'abri dans ma chambre, je sors mon atlas, l'ouvre au hasard et lis. Bre-tagne.

Non, ce soir, la magie n'opère pas.

Je suis traitée comme les garçons, alors que je n'ai rien à voir avec ces Cro-Magnon. Juste le soir où je peux admirer les cheveux d'Amélie. C'est tellement injuste !

Les paroles d'Astrid me reviennent.

Un soir, on soupait toutes les deux et je lui ai raconté que, à l'école, il y avait trop de choses injustes.

Elle s'est arrêtée de manger et elle a pris son ton sérieux.

— Alice, tu as attrapé la victimite, elle a dit.

— Oh non !

J'avais déjà eu une angine la semaine d'avant et je n'avais pas du tout envie de recommencer avec la gorge en feu et la tête qui éclate.

— Une victime, c'est quelqu'un qui croit que la vie est injuste, a poursuivi Astrid. Ça lui grignote le cerveau et le cœur, et il en meurt, desséché sur place...

Ce n'était pas très réjouissant comme avenir.

— Alors je vais te dévoiler un grand secret. Le bonheur habite dans une boîte. Si on ne l'ouvre pas, on ne peut pas être heureux.

Elle a attendu que je demande comment on pouvait l'ouvrir.

— Le secret, c'est de ne jamais - JAMAIS - te voir comme une victime... Alors utilise l'ouvre-boîte le plus souvent possible et surtout en cas de crise de victimite !

J'avais bien aimé son histoire, sauf que là, j'aurais préféré un vrai ouvre-boîte. Au moins, j'aurais pu ouvrir la tête d'Everest et en ôter le bout de cervelle qui lui fait dire des âneries.

Amélie frappe à ma porte, et je m'empresse de la faire entrer.

Je suis seule avec « chevelure de rêve » !

— Toujours partante pour ton diagnostic ?

Je hoche la tête, intimidée.

Elle me fait asseoir par terre, entre ses jambes, et commence à me brosser doucement les cheveux. Ça me donne des frissons.

— Pas mal, y a du potentiel...

Les caresses sur mon crâne continuent.

— Faudra que tu fasses attention en grandissant parce qu'ils ont tendance à être secs et cassants au bout.

Je voudrais avoir un diagnostic avec elle tous les jours, tellement c'est bon.

— Ça te plaît chez nous ? Tu savais que c'était ma chambre, ici ?

SA chambre ? Soudain, la pièce est transformée. Ce n'est plus un refuge un peu triste. C'est devenu un cabinet privé de reine.

Elle me parle de ses études de coiffure. Elle dit que c'est bien plus exigeant que ça en a l'air parce que les gens vous font confiance quand ils laissent leur tête entre vos mains.

Moi, je m'abandonne totalement entre les siennes.

Lorsqu'elle se relève, j'ai l'impression d'avoir eu un shampoing à l'intérieur. Tout est propre et sent bon.

Les mains d'Amélie sont le meilleur ouvre-boîte du monde.

◇ ◇ ◇

Lucie Martajex veut poursuivre sa pêche aux pensées secrètes, car elle a demandé à me revoir.

Heureusement, c'est pendant l'heure des mathématiques.

J'entre, et elle me sourit. C'est le cycle adoucissant.

Elle me propose de dessiner un arbre, une maison et une personne.

— As-tu remarqué que tu n'as pas dessiné de sol à ta maison ?

Je ne dis rien.

Elle me scrute pour lire en moi. Elle ne verra rien, j'ai fermé les rideaux.

Ses yeux insistent.

Il faut que je trouve quelque chose ou elle va se faire une conjonctivite.

— Moi, c'est les murs qui m'intéressent.

Hochement de tête. Paupières qui clignent. Enfin.

— Mais si ça vous ennuie qu'il y ait pas de sol, je peux l'ajouter.

— Non, c'est très bien... Je veux dire, c'est l'expression de ce que tu ressens.

Là, c'est moi qui ouvre de grands yeux.

— ... d'être déracinée, elle poursuit.

Aïe, elle a touché juste, et je sens les larmes monter. Mais je ne veux pas le lui montrer. Avec les *spys*, si on pleure, ils se disent qu'ils ont fait du bon travail et ils veulent qu'on revienne.

Je me tortille pour faire passer l'envie de pleurer.

— Et la famille d'accueil, tu t'y fais ?

— Oui.

— ...

— ...

— Voudrais-tu me dessiner cette famille ?

— D'accord.

Cette fois-ci, je dessine une maison en commençant par le sol. Puis Noëlla, Daniel et les chevaux, le chien, les lapins. Pour Everest, je fais un gros brouillard noir.

Évidemment, ça la fait tiquer.

— Qu'est-ce que c'est ?

— C'est... mon cauchemar.

— Ah ? Bien.

Peut-être qu'elle croit que c'est vraiment un cauchemar, du genre qu'on fait la nuit.

— Est-ce que je suis obligée de revenir vous voir ?

— Non, Alice, tu n'es pas forcée.

— Alors j'aimerais mieux arrêter.

Fin du cycle de lavage. J'espère qu'elle n'est pas vexée.


En classe, ils sont en train de parler du spectacle.

C'est le projet pédagogique du mois, une représentation qui aura lieu devant les parents.

Il faut choisir un partenaire, un thème étudié en classe et une façon artistique de l'exposer.

Nelson bondit en criant « Christophe Colomb ! » et Geneviève demande qui aimerait se joindre à lui. Puisque personne ne réagit, je lève la main. Ganesh m'envoie un coup de coude dans les côtes et même la maîtresse paraît surprise.

— Euh... Alice ? Tu... veux faire équipe avec Nelson ?

— Oui.

Ça m'est égal, moi, qu'il ne tienne pas en place et ne retienne rien.

Il n'a pas eu beaucoup de chance avec ses parents partis en fumée. Et je m'y connais un peu, en matière de vie à raccommoder.

◇ ◇ ◇

Noëlla me remet une enveloppe. Il y a mon nom dessus, une adresse et un timbre. Je monte dans ma chambre. J'ai encore quinze minutes avant qu'Everest rentre et cherche à détruire ma tranquillité.

Avec beaucoup de précautions, j'ouvre l'enveloppe et en sors une carte.

Une fleur.

De l'autre côté, il y a ces mots :

« Alice, ma chérie,

tu me manques.

Les épreuves nous rendent plus forts et je vais un peu mieux chaque jour.

Je t'embrasse tendrement, maman. »

Je suis tout à l'envers. C'est comme si j'étais touillée avec une grosse cuillère. Ses mots, son écriture rendent soudain son absence insupportable.

J'essaie de parler à Mouchoir, mais je n'y arrive pas. Ma gorge est congelée, mes larmes aussi. Si le glaçon pouvait descendre jusqu'à mon cœur, j'aurais peut-être moins mal.

Je fixe la carte atterrie entre mes mains comme les feuilles-messages d'amour que les arbres s'échangent à l'automne.

C'est ce moment que choisit Everest pour débouler dans la chambre.

Il n'aurait pas dû.

— Alors, le moustique, on fait joujou sur son lit ?

La bouillie d'émotions que je sens dans mon ventre me fait me lever sans que je décide quoi que ce soit. Mon dos se courbe et mes jambes me propulsent, la tête en avant. Elle percute le bas-ventre d'Everest, qui s'écroule dans le couloir en gémissant.

Je claque la porte et me rassois.

Je me sens soudain parfaitement calme.

Au souper, Everest reste silencieux. Il m'observe du coin de l'œil et je m'en fiche.

Je n'ai plus peur de lui.

J'ai découvert un grand secret.

J'ai à l'intérieur une force qui peut mettre K.-O. un singe trois fois plus grand que moi.

◇ ◇ ◇

C'est vrai que c'est un défi gigantesque de travailler avec Nelson. On ne peut même pas échanger plus de deux phrases sans qu'il passe à un autre sujet comme si quelqu'un appuyait constamment sur les boutons d'une télécommande invisible.

— Nelson, on parle du spectacle, là. Pas des céréales que tu as mangées ce matin.

— Et tu savais que le fromage, c'est de la moisissure ? Moi, j'en mange plus, beurk !

Le temps que j'écrive trois mots sur une feuille, il a disparu de sa chaise. On devrait faire un spectacle de magie à la place d'illustrer la découverte de l'Amérique. Nelson, le garçon qui se déplace plus vite que son ombre...

Je me prends la tête entre les mains pour essayer de penser à une solution.

Geneviève a pourtant tout essayé avec lui. Lui poser un dictionnaire sur les genoux, lui attacher les pieds ensemble avec un fil de laine, lui promettre les chocolats dont il raffole. Ça ne marche pas. Les dictionnaires finissent par terre, il bondit à pieds joints comme un lapin et ne se souvient même pas qu'on lui a parlé d'une friandise.

Geneviève s'approche et me demande si tout va bien.

— On est obligés de présenter quelque chose pour le spectacle ?

— Oui. Ça fait partie des apprentissages, elle répond. Veux-tu un peu d'aide ?

Elle et moi avons mis le numéro historique sur pied.

Ne reste plus qu'à accomplir l'impossible : l'apprendre à Nelson.

◇ ◇ ◇

En rentrant, j'abandonne mon sac sur la table et file vers les chevaux, ma récompense de la journée. Daniel est en train de sortir Rubis de l'écurie. Il se retourne et me fait un clin d'œil.

— Tu tombes bien, la puce.

Il m'attrape par la taille et me projette sur le cheval avant que j'aie pu dire « ouf ».

— Il faut monter Rubis, ça fait une éternité qu'elle n'a pas travaillé.

Je suis impressionnée d'être à cette hauteur et de sentir toute cette vie en dessous de moi. Je sens la jument respirer et contracter ses muscles, les oreilles tournées vers moi.

— Faut que t'aies confiance, dit Daniel. La peur, c'est contagieux, et les chevaux n'aiment pas ça.

Je me concentre pour rester calme.

Daniel tire sur la longe et nous fait entrer dans le manège.

— Y… y devrait pas y avoir une selle ?

— À cru, c'est ce qu'il y a de mieux pour apprendre. Tiens sa crinière.

Il nous fait tourner un peu, puis claque la langue et la jument se met à trotter. Ça me déséquilibre et me fait rire en même temps.

— T'es à contretemps ! Laisse-toi aller tout en restant droite. C'est ça… Suis son rythme.

Après avoir failli tomber quelques fois, je sens que la magie commence à opérer. Il n'y a plus de cacophonie entre mon corps et celui de Rubis. On dirait même qu'ils se parlent. Je devine ses mouvements et je m'y coule.

Daniel me suggère alors de m'allonger sur la croupe.

— Tu ne tomberas pas, je te le promets.

Un poil à la fois, je lâche ma prise et m'abandonne sur le dos de la jument. Rubis continue de marcher comme si de rien n'était. Sa colonne qui ondule sous la mienne me détend.

Je regarde le ciel et j'oublie tout. Je me sens tellement légère que la moindre brise pourrait m'emporter.

Je me laisse enlever par le vent et atterrir aux pieds de ceux que j'aime.

Je vois leurs visages. Maman, Thomas, Alex, Elisabeth.

Qui aurait cru que tourner en rond sur le dos d'un cheval avait le pouvoir de faire rentrer chez soi ?

◇ ◇ ◇

Quel fiasco !

On a réussi à les faire rire, mais personne n'a rien appris sur Christophe Colomb.

Dès son entrée sur scène, Nelson s'est mis à bafouiller, puis a essayé de disparaître à la vitesse de la lumière. Malheureusement, avec le bateau en carton, il s'est étalé de tout son long en voulant sauter par-dessus bord. La salle a adoré la pirouette, et moi je ne savais plus quoi faire, habillée en Indienne à attendre le navire qui n'arriverait jamais.

Que se serait-il passé si Colomb n'avait jamais débarqué? Les Indiens auraient continué à vivre comme avant. Tout comme moi, si les Débiles Pires que Jamais s'étaient pris les pieds quelque part...

Noëlla me fait signe et m'envoie un baiser.

De toute façon, qu'est-ce que ça peut faire si on a été ridicules? Mes parents, à moi, ne sont pas là pour être fiers de moi.

À la fin des festivités, la tante de Nelson - qui s'oc-cupe de lui depuis que l'avion a explosé – vient me voir et me serre dans ses bras.

— Merci, Alice. Merci d'avoir pris le petit dans ton équipe. Tu as un grand cœur, tu sais.

En rentrant tous ensemble à la maison, mon grand cœur se met à rapetisser à vitesse grand V à cause d'Everest.

Ce briseur de bonheur se met à imiter Nelson pour se moquer de notre numéro raté. Lorsque Noëlla ne regarde pas, bien entendu.

Il me fait battre tous les records de détestage. Il est loin devant les autres. Devant Sabrina. Devant ceux qui travaillent dans les abattoirs...

Everest est un cauchemar dont on ne se réveille jamais.

◇ ◇ ◇

Je m'assois à table et mon cauchemar me sourit. Je n'aime pas ça.

On commence par la soupe, et Everest n'arrête pas de me faire des clins d'œil. Je me demande s'il a craché dans mon bol, y a caché un insecte ou quelque chose du genre. Mais Noëlla a servi le potage devant nous. Qu'est-ce qu'il trame, ce cafard ?

Le plat de résistance arrive, et je me sens soudain pâlir. Everest s'esclaffe, et j'ai peur de comprendre.

Au milieu d'un plat de service, baignant dans sa sauce et complètement mort, il y a un lapin.

D'une petite voix, je demande à Noëlla si je peux quitter la table. Elle dit oui.

J'ai à peine monté quelques marches lorsque Everest crie dans mon dos.

— C'est ton Doux-Doux qu'on va bouffer !

Je me retourne et scrute les yeux de Noëlla pour y lire que ce n'est pas vrai. Que c'est le gros gris ou bien celui d'à côté. N'importe quel autre lapin, mais pas le mien.

— Je suis désolée, Alice.

Voilà les mots qui viennent me trouer le cœur.

Je monte en courant et claque la porte.

Comment ils ont pu faire une chose pareille ? Comment ils ont osé faire ça ? À Doux-Doux !

C'est Noëlla, avec sa voix mielleuse et ses mains douces, qui lui a planté un couteau dans le corps ? C'était donc ça, la job de sang ?

Je n'ai même pas envie de pleurer. J'ai juste cette boule noire en dedans de moi qui grossit et m'emplit de froid.

Allongée, je contemple les fissures du plafond en quête de réponses.

Demain, j'appellerai les Débiles Pires que Jamais. Je leur dirai que je ne peux pas rester ici. Avec ces gens qui, sous leurs airs généreux, sont d'affreuses personnes. Des assassins.

Noëlla frappe à la porte. Je ne réponds pas. Elle entre.

— Pardon, Alice. J'aurais dû t'en parler.

Je me tourne face au mur, Mouchoir me bouche les oreilles avec ses pattes, mais j'entends quand même.

— Nous aimons les animaux. Nous les élevons avec affection... Et les manger fait partie de notre contrat avec eux.

Quel contrat ? Doux-Doux n'a signé aucun contrat !

— Tu es une personne sensible, et je suis désolée si ça t'a heurtée. Nous faisons de notre mieux et nous ne sommes pas parfaits.

Ça, c'est sûr ! Mangeurs d'êtres vivants pleins d'amour.

Elle pose la main sur mon épaule.

— C'est toi qui l'as tué ? je lui demande, toujours dos à elle.

— Non, ce n'est pas moi. Pas cette fois-ci.

Tant mieux. J'aime bien Noëlla. Même si elle est capable de trucider un lapin puis de le manger. Je suis contente qu'elle n'ait pas tué Doux-Doux.

Mouchoir ôte sa patte de mon oreille et la lui tend. Elle la prend. Je souris avec peine.

— La prochaine fois, je te préparerai un plateau-repas à manger dans ta chambre, OK ?

Il n'y aura pas de prochaine fois, car je me promets de ne plus être là d'ici au prochain meurtre.

◇ ◇ ◇

Je me réveille en sursaut. La noirceur est partout.

J'attrape Mouchoir par la patte et descends les marches.

Dehors, tout est silencieux. Les sapins, les nuages... De minuscules flocons dansent devant mes yeux. Je tends la main. J'ai envie d'en être un, moi aussi. De tomber du ciel pour aller disparaître sur la peau de quelqu'un. En silence.

Je voudrais que tout reste immobile, exactement comme maintenant.

Je ne veux plus de boule noire dans le ventre. Je ne veux plus qu'on assassine mes meilleurs amis. Je ne veux plus habiter chez des inconnus.

J'avance.
Un pas après l'autre.
Vers la forêt.
C'est noir et j'ai envie de m'y fondre.
Je traverse les ombres en pensant aux noms magiques. Mirzapur... Mahajanga...

Florianopolis...
Vijayawada...

Il y a longtemps que je marche. Peut-être de longues minutes ou bien des heures.

Un crabe pince mon cœur.
Pinces de malheur, pinces de peur.
Je me laisse aller contre un tronc et serre Mouchoir très fort.
Je me demande pourquoi je suis là, seule avec le noir et les bêtes sauvages. Seule avec un crabe qui fait mal.

Soudain, j'aperçois Elisabeth.
Elle est là, devant moi, dans sa robe blanche qui illumine la nuit. Elle tourne sur elle-même pour faire danser le tissu. Je n'ai qu'à tendre la main pour la toucher. J'approche mes doigts, elle recule.
— Suis-moi, fait sa voix.
J'essaie, mais à chaque pas que je fais elle s'éloigne de moi.
Et puis elle disparaît.

Ne reste d'elle qu'une lumière aveuglante qui me brûle les yeux.

◇ ◇ ◇

Mes paupières s'entrouvrent et la lumière me perce à nouveau la rétine. Elle entre en moi malgré mes yeux qui se sont refermés.

Je sens qu'on serre ma main. Peu à peu, des sons tracent leur chemin en moi et mangent le silence. Je ne flotte plus. Les sensations m'assaillent de tout bord. J'essaie de les fuir, mais elles me poursuivent. La lumière continue de me traverser, les bruits, de résonner. La vie m'aimante à elle.

Les rideaux de fer sur mes yeux se sont relevés. Des formes floues ondulent et je finis par distinguer Noëlla qui me sourit. Elle soupire.

— Bienvenue parmi nous, Alice.

Mes lèvres remuent. Je me sens marionnette, avec des membres qui bougent en dehors de ma volonté.

On fait couler de l'eau dans ma bouche.

— Alors, on joue aux somnambules ? Tu nous as fait peur, à disparaître comme ça. Mais grâce à Everett, tu n'as pas eu le temps de tomber en hypothermie...

Everett ?

— C'est lui qui s'est aperçu de ton absence. Il a remarqué des pas dans la fine couche de neige, ça lui a permis de te retrouver. Il t'a portée jusqu'ici...

Everett ??

Je ne peux pas parler. Le crabe est dans ma gorge et pince les mots. De toute façon, je n'ai rien à dire.

Je suis pleine d'obscurité.

Le deuxième réveil a fait moins mal que le premier.

Mais le crabe est encore là et je ne parle toujours pas.

Noëlla a fait venir un ami médecin.

— Sa voix reviendra, il a prédit.

Combien de temps ça prend à un crabe pour disparaître ?

◇ ◇ ◇

Le plus grand idiot du monde frappe à ma porte.

Est-ce que je rêve ? Everest qui demande ma permission pour entrer ? Il s'approche de mon lit et me tend une carte de vœux.

— On l'a tous signée, il dit, l'air gêné. Et euh... ben, j'm'excuse, il ajoute plus bas, en repassant la porte.

Je commence à douter d'avoir vraiment rouvert les yeux.

La carte dit : « Remets-toi vite ! On t'aime. Noëlla – Daniel – Vince – Everett »

Je ne me sens pas malade, juste muette.

Au souper, Noëlla apporte sur la table mon plat préféré, spaghetti sauce tomate.

On me fait des sourires, on me sert la première. Ils se plient en quatre pour me faire plaisir, mais leur gentillesse me donne la nausée.

Alors j'envoie un coup de pied sous la table à Everest.

Il sursaute, me regarde en fronçant les sourcils, puis se remet à manger comme si de rien n'était.

Nouvelle attaque de ma part.

Il tousse et s'étouffe avec ses pâtes, qu'il recrache sur la table.

— Everett ! lance Daniel sur un ton autoritaire.

Sur un coup de coude de Noëlla, il adoucit sa voix.

— Everett, tout va bien ?

Il fait semblant de sourire malgré son regard noir.

Je rêve! Ils ont été opérés au cerveau? Ou peut-être que je suis mourante, alors il ne faut surtout pas me contrarier?

Le coup de grâce m'est donné par Vince.

— Alice, tu veux ma part de dessert?

Au secours, rendez-les-moi normaux!

J'attrape un spaghetti et le catapulte vers Everest. Mon projectile se colle en plein milieu de son front.

Comme un diable qui sort de sa boîte, il bondit de sa chaise, le couteau à la main.

— Everett! crient en chœur Noëlla et Daniel.

Il se rassoit, mais ses mâchoires risquent d'exploser tant il les serre.

J'attrape alors une pleine poignée de pâtes bien en sauce et lève le bras. Everest a le visage qui se décompose.

Au moment où j'envoie ma munition, une main retient mon bras. Daniel est passé derrière moi pour m'arrêter dans mon élan. Trop tard.

Mon geste a été dévié, et c'est Vince qui reçoit le paquet gluant en pleine tête.

Il se met à hurler.

— Alice, ça suffit! tonne Daniel.

Tout le monde s'agite autour de la table.

Noëlla me saisit par le col et plante ses yeux dans les miens.

— Tu vas aller dans ta chambre, maintenant! Je ne veux pas te revoir avant demain. Convalescence ou pas, il y a des limites!

Merci, mon Dieu.


Finalement, ma voix est revenue. La normalité aussi.

Everest est de mauvaise humeur, Vince mélange le français et l'anglais, et Noëlla est toujours aussi patiente.

Personne ne parle plus de mon escapade.

Je repense au sourire d'Elisabeth. Elle m'a laissée là et c'est peut-être mieux comme ça, car la nouvelle est tombée : je rentre chez moi.

◇ ◇ ◇

Astrid a les joues creuses et les yeux étoilés.

Je cours me jeter dans ses bras et me blottis dans son odeur.

Ça y est, je peux sentir que le monde cesse de tourner à l'envers, enfin.

Après que j'ai fait mes adieux à Noëlla et Daniel, aux lapins, aux chevaux et aux Hormones, la maison disparaît derrière nous au premier virage. Un mirage.

Je n'arrête pas de parler. Je raconte la tornade, les problèmes météo, le Loup et la Sauterelle... Everest, Vince et ses boutons, les Débiles Pires que Jamais, Doux-Doux... La fausse vraie école, Nelson.

Elle m'écoute en hochant la tête, les yeux sur la route, le cœur tourné vers moi, comme toujours.

— Je n'en reviens pas que vous ayez traversé tout ça, ta mère et toi, dit Astrid. Une véritable initiation... Un peu comme moi.

Je ne suis pas d'accord. J'ai déjà fait des initiations - au poney, au badminton ou au jeu d'échecs - et c'est bien plus amusant que d'aller vivre à l'autre bout du monde, le temps que maman ne soit plus une momie.

Je le lui dis et elle éclate de rire. Elle pose la main sur sa poitrine dont on peut voir les os.

— Ce que vous m'avez manqué !

Je lui demande si elle a fait un régime, elle sourit.

— Non. Enfin, si ! Un régime de l'*ego*.

Ils sont fous, ces Californiens. Un régime de Lego...

Ça ne se mange même pas, c'est écrit sur la boîte !

# QUATRIÈME PARTIE

# Iceberg et chocolat

Je monte les marches du perron, et mon cœur bat la chamade.

J'arrive d'un autre pays, d'un rêve-cauchemar aigre-doux, comme la sauce qu'Astrid adore manger chez le Chinois. Elle dit que c'est comme la vie, un mélange de saveurs qui surprend.

Elle déverrouille la porte d'entrée, et l'odeur de la maison se déverse en moi. J'en tremble et je n'arrive plus à avancer. C'est trop de joie d'un seul coup. Je suis un entonnoir qui bloque à l'arrivée. Je sens Astrid me prendre par les épaules et m'asseoir sur elle. Ça pleure tout seul. Le mur fissuré peut maintenant s'écrouler. Je n'ai plus besoin de cloîtrer les souvenirs, alors ils sortent en eau salée qui me dégouline sur le visage.

— Là, là... c'est fini, dit Astrid. On reste à la maison. On va vivre toutes les deux comme des reines jusqu'au retour de ta mère.

Elle avait raison, quand les dernières pierres du rempart ont eu fini de disparaître, on a passé une soirée de reines : bain moussant aux chandelles et coupes de glace avec chantilly. On a même apporté la cage de Bunny dans la salle de bain parce qu'il m'avait trop manqué. Astrid avait été le récupérer chez Jenny juste avant de venir me chercher. Chaque morceau reprenait sa place et c'était merveilleux.

◇ ◇ ◇

Je n'ai pas prévenu Alex pour lui faire la surprise. Quand j'ai vu sa silhouette apparaître au bout de la rue, les mains dans les poches et les yeux dans le vague, mon cœur s'est remis à battre. Je ne m'étais même pas aperçue qu'il s'était arrêté depuis longtemps.

Il est arrivé en face de moi, et j'ai vu un bout de sourire sous ses cheveux.

— Salut.

— Salut.

On s'est regardés en silence pendant une éternité, le temps de tout se raconter. Je n'ai même pas vu les autres élèves arriver, je n'ai rien vu à part ses yeux, le plus beau refuge du monde.

Une seconde avant d'être en retard, il m'a attrapé la main, on est entrés dans l'école et on a marché jusqu'à la salle de classe. Kristina était là, parce qu'elle ne pouvait être nulle part ailleurs que plantée devant son bureau.

— Mademoiselle Alice, on est de retour parmi nous! elle a grogné gentiment.

La leçon a commencé, et je n'aurais pu être plus heureuse.

Au début de la récré, je suis allée faire un coucou à Jenny. Elle était sacrément contente de me voir. Je lui ai dit que j'avais vécu une initiation, un demi-cauchemar dans un pays aussi lointain et compliqué que le Liechtenstein. Elle m'a écoutée, et j'ai découvert qu'elle était encore amoureuse.

— J'espère que c'est pas avec M. Maurice que t'es en amour, je lui ai dit.

— Comment t'as deviné que j'étais amoureuse ?

J'ai gardé le secret pour moi, mais ce n'était pas bien compliqué : elle avait recommencé à se mettre du rouge à lèvres, alors qu'elle n'en portait que pendant son histoire d'amour avec le prof d'éducation physique. *C'est du gaspillage,* j'ai pensé, *mieux vaudrait le porter quand on n'a personne à embrasser.*

Son nouvel amoureux est cuisinier dans un restaurant. Je me demande si ça a un rapport avec le fait que M. Maurice est en couple avec la cantinière de l'école.

Une fois arrivée sous notre arbre, je suis surprise en apercevant Tim, parce qu'il est à peine reconnaissable.

— Tim ! Qu'est-ce qui t'est arrivé ? T'es tombé dans la potion d'Astérix ?

Il regarde ses pieds en rougissant. Pour ça, il n'a pas changé.

— Ouais, je sais. J'ai même pas mangé d'épinards ! J'avais mal partout et le docteur a dit que c'était une *poussée de croissance précoce.*

— Je suis contente de te voir, je lui dis en lui relevant la tête pour pouvoir le regarder dans les yeux.

— T'étais où ?

— Loin.

Il me fixe avec insistance.

— Loin comment ?

— Je suis allée... escalader l'Everest.

C'est presque vrai.

— Ah ouais ?

Il paraît impressionné. Moi, ce qui m'impressionne, c'est la vitesse à laquelle il a grandi en quelques semaines. Ça devait se voir à l'œil nu, tellement c'est spectaculaire.

Se retrouver enfin tous les trois après avoir vaincu tempête, houle et mal de mer, j'ai l'impression de rêver.

Mais Mme Kinder me fait rapidement revenir sur terre. Si elle aussi avait pu tomber dans une potion, comme celle de la gentillesse, par exemple...

Durant tout l'après-midi, je mijote un plan. Ça me vaut plusieurs réprimandes pour absentéisme mental – jusqu'à la punition –, mais ça m'est égal. Je crois avoir trouvé une recette pour transformer la machine infernale Kinder en être humain.

◇ ◇ ◇

Thomas est de dos, occupé à dessiner, lorsque Astrid et moi pénétrons dans sa chambre. Je me retiens de courir et de lui sauter dessus pour ne pas l'effrayer. Ce sont les animaux qui m'ont appris ça. Après une absence, il faut les réhabituer à nous.

Je m'approche doucement et lui souffle dans le cou. Ça le fait rire.

— Thomas?

Il se retourne, sourire et bave aux lèvres, égal à lui-même.

— Salut, toi.

J'ouvre mes bras, et il vient se coller contre moi. Petits cris de bonheur.

— On se sépare plus, nous deux, je lui chuchote au creux de l'oreille.

— Li.

Je sursaute.

— Qu'est-ce que t'as dit?

— Li.

— Astrid? Astrid!

Pourquoi faut-il qu'elle soit allée aux toilettes, juste à ce moment-là?

Lorsqu'elle réapparaît, je saute partout.

— Il a dit mon nom! Thomas a dit mon nom!

— Vraiment?

— Oui, je te jure. Deux fois même.

— Li, dit à nouveau Thomas.

— Tu vois ? T'entends ?

— Il a dit « Li », commente Astrid.

— Ben oui, « Li » pour « Alice ». C'est évident, non ?

Apparemment pas pour elle. Mais ce n'est pas grave, je le sais au fond de moi : ma moitié a dit mon prénom et c'est aussi grand que lorsque Christophe Colomb a aperçu la terre, alors qu'il se croyait perdu en mer.

◇ ◇ ◇

C'est le grand jour. Celui où la dernière moitié va enfin reprendre sa place.

Thomas est agité dans la voiture, Astrid chantonne, et moi, la joie me coupe le souffle.

Nous pénétrons dans la chambre d'hôpital, je m'élance vers mon rivage et il referme ses bras autour de moi. Enfin, je suis revenue à la maison. Thomas et Astrid se joignent à l'étreinte. On forme une île au milieu de la pièce, la tornade a cessé de souffler, la dérive est terminée.

Je regarde maman, qui a le visage pâle. J'imagine que c'est normal pour une ancienne momie. Ses yeux sont pleins de lumière et de larmes. Des gouttes de bonheur pour avoir réussi la traversée.

Thomas commence à se débattre parce qu'il déteste être pris quelque part, même si c'est au milieu de trois femmes qui l'aiment. Ça nous fait rire.

Le retour chez nous se serait fait en carrosse de princesse que ça n'aurait pu être plus magique.

◇ ◇ ◇

J'ai donné rendez-vous à Alex au terrain de basket pour pouvoir parler discrètement.

— Ça va s'appeler l'opération Double K, je lui dis. Double K pour Kristina Kinder…

Alex est partant à cent pour cent.

Maintenant, il nous faut un allié dans l'école.

— C'est une expérience sur l'amour, j'ai dit à Jenny.

Et elle a accepté de nous aider en nous donnant accès à la salle des professeurs.

Alex a déposé la rose dans le casier. Il ne nous restait plus qu'à être attentifs aux changements.

C'était comme avoir mal quelque part et attendre qu'un médicament fasse effet.

— Ses joues sont plus roses, tu trouves pas ? j'ai chuchoté à Alex pendant le cours de français.

Il a secoué la tête. C'est vrai que c'était trop peu pour tirer des conclusions, mais j'étais si impatiente !

Les résultats se sont manifestés dès le lendemain.

Il n'y avait plus aucun doute possible. Kristina était maquillée pour la première fois et portait même des boucles d'oreilles ! La cerise sur le gâteau a été son attitude. Elle n'a pas aboyé une seule fois en une demi-journée, et j'ai pu être dans la lune sans avoir à m'inquiéter. La prison avait enfin des fenêtres.

À la récréation, on a mis Tim au courant.

— On a trouvé le remède… Le berger allemand a rentré les crocs !

◇ ◇ ◇

Astrid reste avec nous quelques jours de plus pour s'assurer que sa sœur est bien réparée.

Maman est à nouveau maman. Il n'y a plus de nuages dans sa tête ni de bandelettes nulle part. Elle aussi retrouve tranquillement sa vie d'avant. Son patron aux grosses fesses et sa collègue, qui fait maintenant de l'autodéfense.

Un soir, Ily est venue souper et m'a expliqué en quoi consistait cette nouvelle activité dans laquelle elle veut encore entraîner ma mère.

— Une fois qu'on a appris à s'affirmer et à imposer ses limites, c'est pour mettre K.-O. ceux qui ne les respectent pas.

Comment est-ce qu'elle fait ça ? Elle ressemble pourtant bien plus à une libellule qu'à un tigre prêt au combat.

En tout cas, j'aurais aimé avoir étudié cette science-là avant de rencontrer Everest.

Je me mets à repenser à Noëlla et ça me rend nostalgique. Je ne comprends pas, moi qui rêvais de quitter cet endroit...

Une discussion en tête à tête avec Astrid s'impose.

— Peut-être que je me suis remontée à l'envers ?
C'est possible, tu crois ?

— Qu'est-ce que tu veux dire ?

— Ben, les morceaux à l'intérieur de moi. Peut-être que je les ai pas remis dans le bon ordre...

Je la vois se concentrer très fort.

Elle a appris cela en Californie. Il faut fermer les yeux, respirer par le nez et faire des « mmmh » avec la bouche. Elle dit qu'ainsi elle peut avoir toutes les réponses du monde, parce qu'elles sont déjà en elle.

Elle revient de sa quête le sourire aux lèvres et les yeux brillants.

— Je sais ce qu'il te faut ! Je vais te présenter à quelqu'un qui va te faire beaucoup de bien... Je viens te chercher demain après l'école.

J'ai hâte de découvrir de qui elle parle et je me demande si c'est quelqu'un qui, comme elle, ne fait rien comme tout le monde.

◇ ◇ ◇

L'atmosphère est surnaturelle dans la classe. Le calme règne - comme d'habitude -, car le régime de punition Kinder y a fait disparaître l'envie de s'agiter depuis longtemps. Mais la voix radoucie de Kristina qui n'a pas crié de la journée peut elle aussi faire peur. À part Alex, Tim et moi, les autres doivent s'attendre à l'explosion d'un instant à l'autre.

Une fois, j'ai vu une émission sur des prisonniers qui supportaient mal de retrouver leur liberté après des années d'emprisonnement. Je crois que je comprends mieux maintenant.

Les murs qui nous enferment, on finit par s'y habituer. Quand ils ne sont plus là, on n'a plus nulle part où s'appuyer et il faut réapprendre à marcher.

◇ ◇ ◇

J'embarque dans l'auto d'Astrid, qu'elle vient de repeindre en jaune citron, et l'embrasse sur la joue.

Avec ma tante, la vie ressemble à un film d'aventures, c'est mystérieux et excitant.

Nous stationnons devant un genre de manoir en vieilles pierres dont je tente de déchiffrer l'inscription.

— Hôpital psy... chia...

— Psychiatrique, complète Astrid. C'est là qu'on soigne les maladies mentales.

Je frissonne.

— Je suis si malade que ça ?

Ma tante éclate de rire.

— Non, pas toi. L'ami que je vais te présenter, oui. Enfin, il est considéré comme malade par ceux qui décident des normes. Selon moi, Henri est bien plus sensé que la plupart d'entre nous.

Lorsque nous entrons dans le bâtiment, je pense à la résidence de Thomas. Car ici aussi, c'est plein de drôles de personnes. Certaines ont le visage qui fait peur, et d'autres, on aurait envie de les adopter.

On nous donne un badge « Visiteur ».

Nos pas résonnent dans les couloirs, nous croisons des infirmières et des « malades ». Quand nous parvenons au numéro 309, Astrid frappe doucement avant de pousser la porte.

L'homme est assis à un petit bureau, des tonnes de feuilles éparpillées devant lui.

— Entre donc, mon amie !

Ses cheveux blancs et ses lunettes rondes lui donnent un air de gentil papi.

— Henri, je te présente ma nièce, Alice.

Il s'approche et prend ma main pour y déposer un baiser, comme dans les films.

Je ne sais pas trop quoi dire.

— Henri est un ami de longue date, explique Astrid en se tournant vers moi. Un penseur, un philosophe, un écrivain... un être hors du commun.

Je me sens impressionnée par cet inconnu, pas tant par ses titres que par l'endroit où il vit.

— Est-ce que vous êtes malade ?

Il frotte son menton tout en me regardant avec une intensité presque dérangeante.

— Ça veut dire quoi, être malade, d'après toi ?

Je réfléchis un instant.

— Ça veut dire qu'on a quelque chose qui tourne pas rond ?

— Ah ! Définition intéressante... il répond. Mais peut-être ne sommes-nous pas faits pour tourner rond. Qu'en penses-tu ?

Je croyais être venue ici pour avoir des réponses, pas des questions.

— Je sais pas.

— Tu en sais plus que tu ne le penses... Tu sais des choses que tu crois ne pas savoir et tu crois savoir des choses qu'en réalité tu ne sais pas.

— J'ai rien compris.

Astrid et lui se regardent et se mettent à rire.

— Elle est bien, cette petite, très bien, ajoute Henri.

On reste encore un moment à échanger des phrases qui n'ont ni queue ni tête, puis nous le quittons.

— Alors? demande Astrid en sortant.

Étonnamment, je me sens plus calme qu'à notre arrivée. Et même plus que ces derniers jours.

Peut-être ce vieux bonhomme a-t-il un secret? Que ses mots dans le désordre fonctionnent comme une formule magique?

Sur la route du retour, Astrid me demande de ne pas parler de la rencontre à ma mère.

— Ça l'inquiéterait pour rien... Elle ne sait pas nécessairement que les patients peuvent être plus sensés que leurs docteurs!

— C'est notre secret?

— C'est notre secret.

Ma tante me parle de la Californie. Des paysages et de son régime de silence.

— Je suis allée très loin pour me retrouver, moi.

— Comme si t'étais partie à la recherche d'un morceau de toi?

— C'est tout à fait ça.

À chaque feu rouge, elle tourne sa tête vers moi, et ses yeux sur mon visage me font l'effet d'une caresse.

— Mais comment ça se fait qu'on reste pas tout le temps entier? je lui demande.

— Peut-être parce que la vie est un casse-tête géant! Le but du jeu serait de rassembler toutes les pièces, répond Astrid.

— Et après on meurt ?

Elle réfléchit un instant.

— Ou bien on aide les autres à finir le leur.

Je me demande si Elisabeth a eu le temps de terminer le sien, ou s'il reste des pièces qui se promènent quelque part. À l'autre bout de la planète dans une ville au nom imprononçable.

◇ ◇ ◇

Au souper, maman met les pieds dans le plat du sujet top secret.

— Vous étiez passées où, toutes les deux ? elle demande à Astrid.

Je regarde ma tante, qui dit toujours que les mensonges font des trous au cœur.

— J'ai emmené ta fille voir un ami à l'hôpital Sainte-Jeanne.

Elle va tout lui dire ?

— Vraiment ? Un ps... un spéléologue de l'esprit ? répond maman, surprise.

— Exactement ! s'exclame Astrid, en me faisant un clin d'œil.

Je regarde mon assiette pour ne pas me mettre à rire. Cacher la vérité me fait souvent l'effet de chatouilles dans la tête.

— Si tu as réussi à la guérir de son aversion pour les psys, je te lève mon chapeau. C'est vrai que tu n'as pas eu beaucoup de chance avec les thérapeutes, hein, ma puce ? lance maman.

J'acquiesce, concentrée pour rester sérieuse.

— Et il te plaît, celui-là ?

— Euh, oui. Même s'il est un peu bizarre, parce qu'on comprend pas tout ce qu'il dit.

— Ils ont leur jargon, tu sais, explique maman, qui se lève pour débarrasser.

Astrid me jette un regard complice et lève discrètement le pouce.

On forme une bonne équipe, toutes les deux. Et
puis je réalise qu'on n'a pas vraiment menti, Henri est
bien un explorateur des profondeurs.

L'atlas m'a appris qu'on peut voyager loin sans
sortir de sa chambre.

Pourquoi on ne pourrait pas être un réparateur
d'esprits qui vit à l'hôpital et qui parle en énigmes ?

◇ ◇ ◇

Papa a demandé à me voir, et nous voilà au McDonald's.

Il y a du bruit partout. Nous, on est silencieux.

Je crois que c'est notre première sortie juste tous
les deux et je ne sais pas quoi dire. Ses yeux vont vers
moi, mais je n'ai pas l'impression qu'il me voit.

Discrètement, je fais glisser la viande de mon
cheeseburger dans ma serviette, guettant une réaction. Rien.

Soit il s'en fiche, soit je suis douée pour les tours
de magie.

J'en suis à la dernière bouchée de mon hamburger
végétarien lorsqu'il se décide à parler.

— Va jouer dans la piscine à balles.

Ça ressemble à un ordre, alors je m'exécute.

J'ai honte d'être là, dans un bac aux boules multicolores pour les bébés.

Est-ce une punition ?

Après m'être obligée à emprunter le toboggan une
dizaine de fois, je retourne à la table et me force à sourire.

— Tu t'es bien amusée ? il demande en levant les
yeux de son journal.

— Oui.

Je remarque son regard vers mes cheveux ébou-
riffés, suivi d'une crispation des mâchoires.

À quoi il s'attendait? À des cheveux qui tiennent en place, même après être allés au champ de bataille?

Il se lève, et nous quittons enfin cet endroit affreux où les boules colorées vous donnent mal au cœur.

Lorsque nous arrivons devant chez nous, il déverrouille les portières et attend que je sorte.

— Je ne sais pas quand sera mon prochain congé. J'appellerai ta... mère, il dit au-dessus de la vitre baissée. Dès que j'aurai un appartement, je te prendrai quelques jours.

— Et Thomas?

La question est sortie toute seule. Pour moi, passer un samedi sans Thomas, c'est n'être qu'à moitié là.

La voiture démarre, laissant derrière elle le silence comme réponse.

Je suis rentrée et je suis allée me blottir contre Bunny. Ses poils blancs sont comme le baiser d'une maman à l'endroit où on vient de se cogner. Ça donne l'impression qu'on n'aura plus jamais mal.

◇ ◇ ◇

Le succès de l'opération Double K est époustouflant. La cheminée allemande ne crache plus de fumée, et il lui arrive même d'être dans la lune!

L'idée m'est venue grâce à un film.

Dans l'histoire, la fille, toujours de mauvaise humeur, change complètement le jour où elle croit qu'un de ses collègues est amoureux d'elle. S'ils l'ont mis dans un film américain, c'est que ça doit marcher en vrai. Je me suis dit que Mme Kinder devait bien avoir un cœur de femme, sous ses airs de chien méchant.

Alex dit que je mérite un trophée et Tim me remercie tous les jours en m'apportant des biscuits. Les autres élèves commencent à se poser des questions. Même Sabrina. Elle s'est avancée vers nous l'autre jour, juste avant qu'on rentre en classe. Alex cachait la rose sous son chandail.

— Qu'est-ce que vous manigancez ? elle a demandé, avec ses yeux de fouine.

— On guérit la planète de ses maladies, je lui ai répondu en soutenant son regard.

Elle a grimacé et a tourné les talons.

◇ ◇ ◇

Aujourd'hui, Astrid a décidé de me laisser seule avec Henri pour qu'on puisse « faire plus ample connaissance ».

Je lui parle de tout et de rien, de mon frère et aussi des animaux. Puis je commence à lui raconter les choses qui sont au fond de moi. La tornade qui est passée et les questions qu'elle a laissées.

Henri écoute attentivement en regardant par terre, hochant la tête de temps en temps. Puis il lève les yeux par-dessus ses lunettes pour me dévisager.

— Tu sais, Alice, la vie ne donne jamais d'épreuves qu'on ne peut surmonter...

Je réfléchis à sa phrase lorsque l'infirmière entre. Celle qui a oublié qu'une bouche peut aussi servir à sourire.

— Les visites sont terminées, elle récite d'un ton de robot.

Elle ressort, le visage toujours aussi métallique.

— Comment elle le sait ?

— C'est elle qui fait la loi, ici. Moi, je l'appelle RoboCop, soupire Henri.

— Non, pas elle ! La vie. Comment elle sait si je suis capable de réussir ses épreuves ?

Il se tait un instant.

— Connais-tu l'histoire des grenouilles ?

— Euh… non, je pense pas.

— Un jour, un groupe de grenouilles se promenait en forêt. Soudain, deux grenouilles tombèrent dans un trou très profond. Si profond que les autres se dirent qu'il serait impossible d'en sortir. Les deux grenouilles se mirent à sauter, sauter, sauter. Mais leurs amies leur crièrent d'arrêter, qu'elles n'y arriveraient jamais, qu'elles n'avaient plus qu'à se laisser mourir. La première grenouille suivit leur conseil, se recroquevilla et mourut.

Henri referme les bras sur son torse, mimant le personnage de l'histoire.

— … Mais la seconde grenouille continua et continua à sauter de plus en plus haut. Les autres criaient : « Arrête, cela ne sert à rien ! » Elle sauta de plus belle et finit par réussir à sortir du trou. « Comment as-tu fait ? » lui demanda le groupe. Mais la rescapée ne répondit pas, car elle était sourde. Tout ce qu'elle fit fut de remercier ses amies grenouilles de l'avoir encouragée avec autant de ferveur…

Si j'avais été une grenouille, aurais-je réussi à sortir du trou ?

— Tu es sortie du trou, Alice, termine Henri comme s'il m'avait entendue penser.

RoboCop repasse, plus crispée que jamais.

— La vie connaît bien ses élèves, crois-moi, il ajoute avec un clin d'œil, pendant que je me dépêche de quitter la chambre avant de me faire réduire en purée par la femme d'acier.

◇ ◇ ◇

Mamie a eu une attaque et maman est dans tous ses états. Je ne sais pas quoi ou qui l'a attaquée et j'espère que ce n'est pas son gentleman charmant, qui s'est avéré être un filou, lui aussi.

Finalement, j'apprends que l'attaque a eu lieu dans son cerveau et que Charles, son amoureux, est à ses côtés. Elle doit se reposer, ce qui veut dire ne pas jouer aux cartes ou au bingo pendant quelques semaines. La pauvre, je crois qu'elle va mourir d'ennui. Mamie aime aller au cinquième étage pour voir ses amis et s'exciter pour une partie de cartes. Elle dit que ça garde son cœur jeune, comme tomber amoureuse.

On ne doit plus parler de ces choses-là, car ça met maman de mauvaise humeur. Elle en a des brûlures d'estomac chaque fois. Pourtant, tomber amoureux est une maladie plutôt sympathique comparée aux attaques du cerveau.

On est allées lui rendre visite le soir même.

Elle n'a pas bonne mine et elle est seule. Pas de gentleman dans les parages, ce qui est peut-être mieux pour le niveau de stress de maman.

— Je ne veux pas rester à l'hôpital ! gémit mamie.

Maman s'est assise à côté du lit.

— Mais enfin, de quoi as-tu peur ?

— Des dates de péremption...

— De quoi tu parles ?

— Ici, ils vous mettent une date dessus... co... comme les yogourts ! Une date de mort approximative. On finit par y croire, à leur date de malheur... et on en meurt !

Maman lui prend la main.

— Ttt ttt ttt, qu'est-ce que tu racontes comme bêtises ?

— Ah ! Tu ne me crois pas ? Tu verras quand je serai morte, périmée, moisie, tournée comme du vieux lait...

Mamie s'est redressée et elle crie maintenant d'une voix qui donne envie d'avoir des bouchons dans les oreilles.

— Tu regarderas bien partout et tu trouveras une date sur leurs maudits papiers ! Mais alors, il sera trop tard, hein ?

Elle a finalement réussi à convaincre maman de la laisser sortir de l'hôpital.

Mamie est très habile quand elle veut quelque chose. Comme un chat, elle retombe toujours sur ses pattes.

◊ ◊ ◊

J'essaie de montrer à Thomas comment jouer au ballon, ce qui est difficile, mais je ne désespère pas. Les oiseaux dans le ciel, les mouches, les allées et venues des voitures rivalisent avec moi pour capter son attention. Thomas a besoin de tout voir, alors pour lui, se concentrer sur une seule chose devient problématique. Par contre, si je fais un bruit inhabituel, il me regarde instantanément et réussit presque à renvoyer le ballon.

J'expérimente un son de cheval qui hennit lorsque je l'aperçois.

Il se dirige vers la maison.

Zorro Jolicœur.

Je saisis mon frère par le bras, l'entraîne à toute vitesse à l'intérieur et claque la porte. Je ne laisserai pas le Grand Méchant Loup me manger une deuxième fois.

Il frappe trois coups.

— Allez-vous-en ! On est réparés !

— Bonjour, Alice, il dit de sa plus gentille voix à travers la porte. C'est une visite de routine...

Thomas se met à crier.

— Vous faites peur à mon frère.

— Je suis désolé. Est-ce que je peux entrer et me présenter à lui ?

— Non, c'est pas une bonne idée.

Patte blanche ou pas, j'aime mieux ne pas prendre de risque.

Astrid et maman, qui discutaient dans la cuisine, accourent.

— Qu'est-ce qui se passe ? elles demandent en chœur.

— Le Loup qui fait sa routine, mais j'ai pas confiance, je réponds en tentant de calmer Thomas.

Maman décide d'ouvrir.

David nous offre le spectacle de ses dents pointues.

— Excusez-moi si je vous ai fait peur. Je viens juste vérifier si tout est rentré dans l'ordre, si le dossier peut être fermé.

— Entrez, l'invite maman. Je vous sers quelque chose à boire ?

Ils s'installent tous dans le salon. Moi, je reste sur mes gardes sur le pas de la porte.

Il n'est pas venu avec sa Sauterelle, c'est sûrement bon signe.

Maman explique que tout va bien maintenant, que la famille a retrouvé son équilibre.

— Je suis bien heureux de le constater, il répond.

Thomas est entré dans la pièce avant que j'aie eu le temps de le retenir.

— Bonjour. Tu dois être le frère d'Alice, dit David en lui tendant la main.

Thomas la baptise avec une traînée de bave et semble très content. Astrid rapproche la boîte de mouchoirs et me fait un clin d'œil.

Après une quinzaine de minutes, notre intrus se lève pour partir.

Au moment de disparaître, il se tourne vers moi.

— Au revoir, Alice. On ne devrait pas avoir à se recroiser. J'ai été heureux de te connaître... malgré tout.

Il a soudain l'air triste, et je m'en veux un peu. Il faisait juste son métier de Loup.

— Swakopmund, Xi'an, Lombok, je lui réponds.

Et ça veut tout dire.

J'aperçois une dernière fois ses dents aiguisées, puis son dos qui s'éloigne.

Peut-être vers une autre famille à croquer.

◇ ◇ ◇

On est retournées voir mamie. À sa résidence, cette fois.

Maman dit qu'elle doit parler à ce Charles gentleman et nous laisse seules.

— T'es heureuse, mamie? je lui demande en m'allongeant à côté d'elle.

Elle me caresse les cheveux avant de répondre.

— Je crois que oui.

On reste silencieuses jusqu'à ce que je lui pose la question qui m'a trotté dans la tête toute la semaine.

— Par quoi ton cerveau s'est fait attaquer?

Elle sourit.

— Probablement par mes vieux souvenirs...

Je ne comprends pas. Est-ce qu'un ancien souvenir peut se réveiller et décider de nous attaquer? Pourquoi? Pour se venger d'avoir été oublié?

Ça voudrait dire qu'un millier de souvenirs pourraient décider de s'en prendre à moi par surprise, parce que je ne suis pas quelqu'un qui se rappelle tout...

— Trop penser au passé, ça fait couler le sang dans le mauvais sens, ajoute mamie. Je te dis ça, mais c'est peut-être simplement que je suis vieille...

— T'es pas vieille, mamie, je lui dis. La plus vieille madame du monde a cent cinquante-sept ans, alors t'as encore le temps pour être vieille!

— Merci, ma chérie. Tu as toujours le bon mot qui fait du bien.

Maman rentre dans la chambre, et mamie se redresse.

— Alors ? Est-ce que mon preux chevalier a passé le test ?

Maman lève les yeux au ciel avant de répondre.

— Ne te moque pas de moi, veux-tu ? J'essaie juste de te protéger.

— Ma fille chérie, ne marchons pas sur cette pente. Après ce qui vient de m'arriver, je n'ai pas envie de me disputer avec toi...

Maman s'adoucit.

— Charles est un homme charmant, je te l'accorde...

Le visage de mamie affiche un grand sourire. Le mien aussi, j'adore les histoires d'amour.

— Mais..., poursuit maman.

— Non, pas de « mais », s'il te plaît ! s'écrie mamie.

Restons sur le « charmant », d'accord ?

— D'accord. C'est juste que...

— Chut ! fait mamie, avec le doigt sur la bouche. C'est juste... qu'il est charmant, point.

Elle a le don d'arranger les choses à sa façon.

J'espère que ses souvenirs vont la laisser tranquille et que son Prince charmant l'emmènera... Même si ce n'est qu'au cinquième étage et en ascenseur.

◇ ◇ ◇

Maman vient me trouver pendant que je nettoie la cage de Bunny. Elle n'arrête pas de secouer la tête, ce qui n'annonce jamais rien de bon.

— Ton père a trouvé un appartement, il voudrait que tu ailles passer une semaine chez lui.

Une semaine ! Juste lui et moi ?

— Ne t'inquiète pas, tout ira bien, elle ajoute, pas très convaincue. Tu pourras même aller à l'école à pied.

— Mais...

Mais quoi ? La suite se déroule dans ma tête sans que je puisse l'exprimer.

Mais, je ne le connais pas... Mais, j'ai peur de lui... Mais, je n'en ai pas envie.

Puisqu'il a un logement, je prie pour qu'on oublie les rencontres chez McDonald's, avec les sandwichs aux animaux morts, la piscine pleine de couleurs criardes et lui qui ne dit rien.

Il sonne à la porte à onze heures trente, comme convenu. Maman m'embrasse et disparaît dans la cuisine. Elle ne veut pas le croiser, elle dit que ça remue les souvenirs pour rien.

Son appartement est minuscule. Tout est dans la même pièce, sauf les toilettes... Heureusement.

Il est assis sur le fauteuil qui, la nuit, devient un lit. Moi, sur une chaise près de la table qui se rabat dans le mur. On est face à face et on se croirait dans une cabine de train.

J'ai envie de parler, de poser des questions, mais j'ai peur de ses réactions.

Alors je mâchouille le cordon de mon chandail et j'attends.

Il se lève et allume la télé posée sur l'étagère, à peine plus grande qu'un écran de téléphone.

— Papa ?

Grognement.

— Pa-pa ?

— Mmmh.

— On peut parler ?

— De quoi ?

Bien oui, de quoi ? J'aurais dû y penser avant.

— De... ta famille ?

Comme ça, un sujet au hasard.

Son expression change plusieurs fois, comme s'il enfilait des masques les uns par-dessus les autres. Jusqu'à retrouver la façade habituelle, celle où on ne sait rien de ce qu'il y a derrière.

— Qu'est-ce que tu veux savoir ? demande sa voix grave.

— Des trucs... comme... si t'avais des frères et sœurs et... si vous vous entendiez bien. Ce genre de choses.

Des nuages traversent son visage. Puis le ciel redevient uni.

— Non, il finit par répondre.

Non quoi ? Non, je n'ai pas de frères et sœurs ou bien, non, on ne s'entendait pas bien ?

Devant son silence, j'opte pour la seconde réponse et je me tais.

J'ai une autre question à poser, mais je ne sais pas si c'est le bon moment. Je décide d'attendre la pause publicitaire avant de me lancer.

— Papa ? Je vais dormir où ce soir ?

Il se déshypnotise du mini-poste, me fixe un instant, puis repart dans son monde d'images en boîte sans répondre.

C'était pourtant une bonne question.

Je dois patienter jusqu'à la tombée de la nuit pour le découvrir. Un matelas de camping gonflable rangé dans le placard. Glissé sous la table, ça fait presque une chambre. Mon petit coin à moi.

Je comprends pourquoi il n'était pas question d'inviter Thomas. De toute façon, même dans un château, il aurait encore pris trop de place aux yeux de papa.

◇ ◇ ◇

Jenny m'a demandé de venir la voir à l'infirmerie. Elle semble préoccupée.

— Qu'est-ce qui se passe ? C'est pas ton cuisinier, j'espère.

— Non, tout va bien avec Geoffrey. C'est... votre histoire de fleurs.

— Ça fonctionne du tonnerre !

— Kristina croit que c'est Maurice...

— Et alors ?

Jenny est de plus en plus agitée.

— Alors elle lui fait les yeux doux, et ça risque de mal tourner.

— Mal tourner pour qui ?

— Je ne sais pas, moi ! Pour lui... pour vous. Vous ne devriez pas jouer avec les sentiments des gens, j'aurais dû y penser avant d'accepter d'être complice.

J'ai essayé de la convaincre que c'était un cadeau pour tout le monde, ce petit complot. Pour Mme Kinder, qui redevenait humaine, et pour ses élèves, qui pouvaient arrêter de trembler. Jenny a haussé les épaules, et je ne savais pas si ça signifiait qu'elle était un peu d'accord. C'est en retournant en classe que j'ai soudainement compris.

Ce que ça voulait dire, en fait, c'est qu'elle était jalouse et encore amoureuse du prof d'éducation physique.

Est-ce qu'elle allait nous faire tout arrêter ? Laisser ses anciens sentiments ruiner notre bien-être en permettant au volcan Kristina de se réveiller ?

◇ ◇ ◇

Je n'ai jamais vu papa avoir de belles émotions. Exploser, crier, taper du poing, oui. Des « Je t'aime, tu me manques, je suis heureux »... Non.

Sa poitrine musclée est un coffre-fort. Fermé et secret.

Pourtant, je le trouve changé. Sans maman, il s'engrisaille.

Peut-être qu'elle avait trouvé la clé du coffre. Pour que, à chaque retour chez nous, elle y dépose un peu d'amour. De quoi le faire tenir jusqu'au prochain passage à terre. Maintenant, il n'a plus personne pour le remplir, et ça me rend triste. Il a une tête de maison abandonnée.

Si je la trouvais, la clé, est-ce qu'il se mettrait à sourire?

— On va souper!

Son ton autoritaire me sort de ma rêverie.

Lorsque j'aperçois le grand M jaune, je sens mon estomac oublier sa faim. Je n'aime pas cet endroit, je n'aime pas avoir peur de le dire, je n'aime pas les silences avec papa. Ils ne sont pas du tout comme ceux avec Alex. Dans les uns, on se dit tout, dans les autres, on ne se dit rien.

Je commande un Egg McMuffin, papa prend la même chose que moi et nous nous assoyons à la même place que la dernière fois.

Je mastique le plus longtemps possible et traîne entre chaque bouchée pour retarder la fin du repas. Va-t-il encore m'ordonner d'aller barboter dans les balles?

Il reste muet et ne me regarde pas. Je ne sais pas à quoi il pense, je ne sais pas qui il est, à part mon père. Maman, je peux dire ce qu'elle aime faire ou manger, les films qu'elle préfère...

Papa, non.

Je ne sais rien.

J'ai à peine terminé mon sandwich qu'il me fait signe du menton en direction de la piscine en plastique. Je fais non de la tête.

Sourcils froncés. Il n'aime pas qu'on se rebelle.

— Tu ne veux pas t'amuser? il demande, sévère.

— Je... Non. Euh... oui, c'est que...

Grognement. Suivi d'un long silence. Très long. Je compte jusqu'à quatorze.

— Papa?

— Mmh?

Je m'aperçois qu'il a souvent les yeux dans le vague, comme Alex.

— Tu veux qu'on aille dehors? Marcher?

Il revient sur terre.

— Mmh mmh.

Ça voulait dire oui.

Nous marchons, toujours sans rien dire. Nous croisons un père qui a un petit garçon sur les épaules et une petite fille joyeuse au bout de la main.

Je jette un regard à mon père à moi, à son visage sérieux.

J'ai mal aux pieds, mais je ne dis rien. Parce que je sais que, de toute façon, il ne me prendra pas sur son dos.

◇ ◇ ◇

Mme Gingras, la directrice de l'école, entre dans la classe. Plus l'année avance, plus elle est courbée. Sûrement à cause des problèmes qui s'accumulent.

Aujourd'hui, elle a décidé de mettre fin à l'intimidation. Ça semble être devenu sa priorité numéro un sur la terre, comme si elle se découvrait tout à coup une blessure en train de s'infecter. Après son discours sur le respect, le respect, le respect, elle nous présente Mlle Duquette. C'est une spécialiste, un genre de superwoman qui vient rétablir l'ordre et la paix.

Mlle Duquette – « appelez-moi Louise » – commence par nous dire qu'elle est ceinture noire en karaté. Tout de suite, ça force le respect. Elle explique qu'elle a dû apprendre à se défendre très jeune, parce qu'elle était un aimant à intimidateurs. Ses longs cheveux blonds et ses grands yeux de biche attiraient instantanément tous les prédateurs de la planète.

Nous sommes en admiration devant cette Louise, une Barbie reconvertie en ninja. Je jette un coup d'œil vers Sabrina, qui semble très concentrée sur le sujet.

Après nous avoir séduits avec ses histoires, Mlle Duquette dit qu'il est temps de passer à la pratique.

— Connaître l'autre est le secret de la paix. Je veux que vous fassiez équipe avec ceux que vous ne connaissez pas bien.

Elle écrit au tableau :

Connaître = Respecter = Aimer

C'est l'occasion ou jamais de guérir l'école de sa plaie, l'occasion de désamorcer la bombe Sabrina.

Il faut maintenant se choisir un partenaire et je saisis mon « centimètre cube de chance », même si ça pourrait être dangereux. Je fonce sur ma cible. Elle ouvre des yeux tout ronds avant de les plisser comme ceux d'une Chinoise.

— Qu'est-ce que tu fais là ? elle siffle entre ses dents.

— Ben, je me mets avec quelqu'un que je connais pas ! je réponds, en essayant de rester sûre de moi.

Pas facile face à une grenade prête à exploser.

— Dégage, microbe, je travaillerai pas avec toi, elle grimace au moment où on annonce que les binômes sont complets.

Les dés sont jetés, j'ai jusqu'à la récréation pour apprivoiser l'ennemie.

Super Louise nous demande de commencer par nous présenter en cinq minutes. Ensuite, on devra parler de nous plus en profondeur et étudier ce que ça nous fait de nous livrer et d'écouter.

Je trouve ça plutôt bizarre comme exercice et très risqué de le faire avec Sabrina.

Mais, de toute façon, je n'ai plus le choix.

On dit notre nom, notre âge et où on habite. Sabrina a un an de plus que moi, mais ça, je le savais déjà par son dossier médical. Je pensais qu'elle avait redoublé, alors je suis surprise quand elle commence l'étape plus en profondeur.

— J'ai passé un an au Japon, c'est pour ça que j'ai pas le même âge.

Ça explique aussi les yeux plissés.

Puisqu'on n'a pas le droit de s'interrompre, je me retiens de lui demander pourquoi elle a vécu là-bas.

— Dans un cirque, elle poursuit.

Un cirque ?

— Ma mère a eu un contrat là-bas... Elle est trapéziste.

Est-ce qu'elle se moque de moi ?

Mlle Duquette signale le changement de tour de parole en tapant dans ses mains.

165

Qu'est-ce que je vais bien pouvoir lui dire ? Pas trop de choses personnelles, elle risquerait de s'en servir contre moi.

— Mon père est militaire sur les bateaux... Il est pas souvent là.

Je fixe le visage de Sabrina. Derrière ses yeux méchants, il y a une sorte de tristesse.

— Et cette année, j'ai découvert que j'avais un frère... jumeau.

Je sens sa curiosité s'allumer.

— Il s'appelle Thomas. Il est...

Dois-je lui dire la vérité sur mon frère ? Est-ce que cela peut devenir une arme qu'elle utilisera pour me faire du mal ?

— ... adorable. Et... différent. Il ne pense pas comme nous.

Le claquement de mains m'arrête là.

Sabrina n'ouvre pas la bouche.

— C'est à toi, je lui dis.

Toujours rien.

J'ose lui toucher la main.

Elle a l'air d'émerger d'un océan de pensées.

— J'ai pas de père, elle lance sans me regarder malgré la consigne. Il nous a abandonnées avant ma naissance...

Elle serre les poings.

— Pis je m'en fiche de toute façon! De lui, de cet exercice, de toi et de tes histoires!

Le masque de bourreau réapparaît sur son visage. En une seconde, plus rien d'humain.

Louise tape encore dans ses mains.

J'ai le choix de me fermer moi aussi.

Ou de plonger. Même si c'est dur.

— Mes parents vont divorcer. Quand j'ai été absente, c'était pas des vacances. Je suis allée en famille d'accueil parce que ma mère a eu une dépression. Là-bas, j'ai rencontré un gars pire que... pire que toi.

Sabrina me regarde à nouveau dans les yeux.

— Finalement, il était pas si pire, c'est juste qu'il avait trop souffert pour son âge. Et en fait, mon frère... il bave, il parle pas, mais il est très intelligent. Même si ça se voit pas...

Ninja Duquette annonce la fin de l'exercice.

— Un peu comme les blessures en dedans, j'ajoute tout bas.

— Remerciez-vous pour cette intimité partagée et reprenez vos places, dit Louise.

Sabrina et moi, nous nous regardons sans rien dire. Pas de merci, pas de sourires.

Je me sens fière parce que j'ai osé parler. J'ai montré mes faiblesses, et c'est comme si ça me rendait plus forte.

Elle a encore son regard sombre, sauf que quelque chose semble changé entre elle et moi. Je crois que je la vois un peu moins comme une ennemie.

Kristina reprend les rênes de la classe et son annonce fait fondre mon début d'optimisme.

— Pour ne pas s'arrêter en si bon chemin, vous préparerez vos exposés de fin de trimestre avec les mêmes binômes.

Elle doit avoir un don spécial pour réussir à ruiner si facilement la moindre bonne humeur.

◇ ◇ ◇

Ce matin, je ne reconnais pas Alex. Il est tout à l'envers.

— C'est l'opération Double K...

J'attends la suite avec inquiétude. Il continue en baissant les yeux.

— C'est fini.

— Qu'est-ce qui s'est passé ?

— Elle pense que je suis amoureux d'elle !

— Quoi ?!

J'ai crié plus fort que je ne l'aurais voulu et des élèves regardent dans notre direction.

Alex a l'air embarrassé derrière ses cheveux. Il poursuit en chuchotant.

— Elle m'a surpris en train de déposer la fleur.

— Et après ?

— Après rien... Je me suis sauvé.

Kristina n'est pas du genre à avoir le sens du romantisme, ni même un brin d'humour. Est-ce qu'elle va le punir ? Ou, pire, le renvoyer ? Après tout, il n'a fait que lui offrir des fleurs.

Astrid m'a parlé d'une tribu où, lorsqu'une personne se conduit mal, tout le monde se réunit autour d'elle. Alors, à tour de rôle, les habitants du village lui expriment ce qu'ils voient de beau en elle. Tous ces messages d'amour lui font comprendre son erreur et lui donnent envie de mieux se comporter.

Cette pratique aide à prendre soin de son jardin intérieur, a expliqué Astrid.

J'aimerais aller vivre dans un endroit comme ça avec Alex.

On n'aurait plus besoin de fleurs pour améliorer notre quotidien.

Finalement, il y aura une nouvelle réunion extraordinaire pour le cas d'Alex. On l'a su par Jenny.

Ils doivent décider s'il sera sanctionné ou bien s'il devra se faire soigner. C'est vrai qu'il faut être malade pour être en amour avec le berger allemand.

On attend anxieusement la réponse, qui doit tomber en fin de journée. Impossible de me concentrer, et Kristina préfère me donner des lignes à copier plutôt que de voir mes qualités, comme dans la tribu dont Astrid m'a parlé.

Alex est maintenant dans le bureau de la directrice. Je fais les cent pas en me rongeant les ongles.

Je finis par le voir traverser la cour, mains dans les poches. J'ai envie de lui dire de courir pour me rejoindre, je n'en peux plus d'attendre.

— Ce sera le psy! il annonce, souriant derrière ses cheveux.

Ouf! Merci, bonne étoile. Merci!

◇ ◇ ◇

Papa ne sera pas rentré avant la nuit, alors je propose à Astrid d'aller voir Henri.

« C'est un homme brillant », n'arrête pas de répéter ma tante. Il saura peut-être m'éclairer sur la façon de mieux m'entendre avec mon père.

— C'est tout bloqué ici, dès que je veux parler avec lui.

Je montre ma gorge.

— Peu importe l'épaisseur de leur armure, même les guerriers ont un cœur... répond Henri.

Comme toujours, ses phrases énigmatiques semblent sans rapport avec ce que je dis.

Parfois, après un certain temps en sa compagnie, je me mets à parler un peu comme lui. Des mots sortent de ma bouche, et je ne sais pas d'où ils viennent.

Je suis dans cet état, genre quatrième dimension, lorsqu'une drôle de question surgit.

— Comment on fait fondre un iceberg?

— En lui offrant du chocolat, lâche Henri.

Après être sortie, je n'ai plus repensé à tout ça.

◇ ◇ ◇

Je guette le retour d'Alex durant toute la récréation. Ça m'inquiète un peu de le savoir en train de mentir au *spy*. Ces gens-là doivent savoir détecter les mensonges, à force d'espionner les pensées.

Alex apparaît enfin.

— Alors? Tu lui as dit quoi?

— Tout.

— Quoi? La vérité?

Il sourit.

— Non, t'es folle! J'ai rien dit. Rien du tout. Les psys, plus tu leur parles, plus ils te trouvent de maladies...

Ouf! Avouer notre plan, ce serait signer notre arrêt de mort si Kristina venait à l'apprendre.

— Faut être fêlé pour avoir monté l'opération Double K. Alors, ça ou les laisser croire que je suis amoureux du bouledogue... de toute façon, je passe pour un fou!

Il n'a pas tort. Et puis, le silence est souvent la meilleure chose à dire.

Alex et moi, on en sait quelque chose.

Kristina a arrêté de se prendre pour une femme, elle est redevenue comme avant. C'est dommage, parce que les jupes et le rouge à lèvres lui allaient bien mieux que les pantalons kaki.

Astrid dit que notre vie ressemble à ce qu'on croit qu'elle est.

Elle semblait bien plus belle, la vie de Mme Kinder, alors qu'elle croyait à l'amour.

◊ ◊ ◊

Papa me ramène chez nous.

Je regarde l'arrière de sa tête, qui ne me fournit aucun indice sur ce qu'il ressent. Pas plus que son visage quand je suis face à lui.

J'ai envie de lui dire quelque chose de gentil, quelque chose comme merci. Mais ma gorge est encore en grève.

— Pap... a ? Je... euh... mer... ci... que...

S'il a compris quoi que ce soit à ce hachis de mots, c'est qu'il est télépathe.

Il répond qu'il viendra me chercher dans deux semaines. Je descends et rentre dans la maison, qui me paraît soudain immense.

◊ ◊ ◊

Dans les livres, ce ne sont pas les méchants qui vivent dans une maison magnifique, aussi grande qu'un château. Dans la vraie vie, si.

On arrive devant chez Sabrina et je reste bouche bée. Elle vit vraiment là ?

Maman se rend jusqu'à la porte avec moi. Rien que la poignée doit valoir une fortune.

C'est Sabrina qui ouvre. Elle n'a pas les cheveux tirés en arrière comme à l'école et je la trouve bien plus jolie comme ça.

— Est-ce que tes parents sont là ? demande maman.

— Non. Y a juste Teresa, la bonne.

Maman m'embrasse sur le front et disparaît.

Sabrina m'entraîne vers la cuisine, où Teresa nous sert un « cocktail ». Un mélange de jus d'ananas, de raisin et de grenade, un fruit exotique que je ne connais pas.

— J'te fais pas tout visiter, ça nous prendrait une heure. Allons dans ma chambre, dit Sabrina.

Sa « chambre » est une pièce grande comme un étage complet chez moi. Au milieu se trouve un lit de princesse avec voilages et pieds en or.

Je me retiens, depuis mon arrivée, de me montrer impressionnée. Je serre les mâchoires pour ne pas laisser échapper des « Oh ! » d'admiration.

— Je préfère qu'on travaille ici plutôt qu'à mon bureau.

Son bureau ? Est-ce qu'elle a une pièce juste pour faire ses devoirs ?

— Moi aussi, j'aime mieux travailler dans ma chambre, je réponds.

On reste en silence, buvant notre jus délicieux.

— Tes parents sont où ? je lui demande, histoire de parler d'autre chose que de son château.

— Je sais pas. Et je m'en fiche, elle répond avec son ton de maître du monde.

Est-ce qu'elle a ordonné à ses parents de quitter « sa » maison parce qu'elle recevait quelqu'un ?

Tout à coup, sans savoir pourquoi, je suis très irritée. Madame qui joue aux princesses, et moi chez elle, alors que je préférerais être n'importe où ailleurs...

Il faut absolument que je lui pose la *vraie* question.

— Pourquoi t'as décidé de pourrir la vie des autres ?

Elle semble surprise, mais ça la fait sourire.

— Dans la vie, on domine ou on se fait écraser. Moi, j'ai choisi mon camp.

— T'es vraiment folle.

— Tu sauras que mon beau-père est un des plus riches et puissants chefs d'entreprise de la province. C'est lui qui m'a appris les lois du succès.

— À part réussir à te faire détester, je vois pas de grands succès, je lui dis en fixant ses yeux verts.

Comment tant de beauté peut-elle cacher toute cette méchanceté?

— Ceux qui nous détestent nous admirent, elle lance entre deux gorgées de cocktail.

— Je t'admire pas.

— Tu me détestes pas non plus!

— Qu'est-ce qui te fait dire ça?

— Pourquoi tu te serais mise avec moi pour cet exposé idiot, sinon?

Elle est peut-être terriblement désagréable, mais elle est plutôt intelligente. Autant continuer la franchise.

— Je voulais apprendre à connaître mon ennemie.

Elle ne répond rien, continuant d'aspirer le fond de son verre vide avec sa paille, ce qui produit des bruits de canalisation.

— Être gentille et compréhensive… c'est plutôt facile, tu crois pas? lâche Sabrina.

— Non.

— En tout cas, t'es plus intéressante que ce que je pensais.

— Et toi, moins horrible…

On finit par se sourire. Une seconde de complicité qui sonne vraiment étrange.

On s'est mises à travailler sur notre exposé qu'on a réussi à boucler en deux heures.

Astrid avait raison, quand on connaît son ennemi, on n'en a plus peur. Dommage qu'on ne puisse pas être amies, parce que, ensemble, on fait du bon travail.

À l'école, tout a continué comme avant. Elle, occupée à terroriser, moi, à la surveiller du coin de l'œil. Mais ce n'était plus pareil. C'était comme jouer une pièce de théâtre dans laquelle on ne faisait que tenir notre rôle.

◇ ◇ ◇

D'un seul coup, ça me revient. Pourquoi Henri a-t-il parlé de chocolat ?

Même si l'ami d'Astrid ne tourne pas dans le même sens que tout le monde, je ne peux m'empêcher de repenser à ce qu'il a dit. Et s'il avait raison ? Et si c'était encore une formule magique ?

Pendant que papa fait sa sieste devant la télé, je sors discrètement et me rends au dépanneur, mes économies en poche. J'achète des fruits et trois sortes de chocolat - blanc, noir et praliné.

À mon retour, je suis soulagée de voir qu'il dort encore. Le plus silencieusement possible, je sors une casserole, mets les trois tablettes à fondre et coupe les fruits.

Est-ce le bruit des bulles qui éclatent ou l'odeur de cacao qui remplit la pièce ? En tout cas, papa se réveille.

— Qu'est-ce que tu fais ?

J'ai peur qu'il se mette en colère. Et puis, peut-être qu'il n'aimera pas ça ?

— Je... rien, je...

Ses sourcils se froncent de plus en plus jusqu'à ce que je me reprenne.

— C'est une surprise ! Tu dois pas regarder !

— Mais...

Je m'approche de lui et lui noue une serviette autour de la tête.

— Chut !

À mon grand étonnement, il ne dit plus rien.

J'apporte la casserole fumante sur la table, l'assiette de fruits et deux fourchettes.

— Voilà !

Sa main repousse la serviette, je guette sa réaction.

— C'est... une fondue au chocolat, je lui dis, le plus enjouée possible. Il faut mettre un morceau de fruit au bout de la fourchette, le tremper là et... savourer. Mais attention ! Il y a une conséquence si tu échappes ton morceau dans la casserole.

— Une conséquence ?

— Oui.

Un peu méfiant, il attrape la fourchette que je lui tends et fait comme je lui ai dit. Son visage semble se détendre au moment où le chocolat disparaît dans sa bouche. Il avale et recommence. Je m'y mets aussi.

C'est incroyablement délicieux.

Soudain, papa ressort une fourchette vide de la casserole. Il a perdu son fruit et me regarde du coin de l'œil.

— T'as une conséquence !

Il attend.

— Tu dois manger avec les doigts !

— Non, je ne mange jamais avec les doigts.

— Mais la règle, c'est la règle...

Est-ce que je tente un peu trop ma chance ? Est-ce qu'il va se refermer sur lui-même comme une cocotte en papier ?

Non, il s'exécute. Il trempe un morceau de fruit du bout des doigts et n'ose pas les lécher. Ce qui est une mauvaise tactique, parce que ça va dégouliner le long de son bras, je le sais par expérience. Puis il y va de plus en plus franchement. Sa langue tente même de rendre leur couleur à ses mains qui virent au marron. À observer son baptême de fondue, j'en perds mon morceau.

— Même punition ! il grogne.

J'abandonne ma fourchette et le rejoins au combat.

La casserole presque vide, je lui ai lancé un dernier défi.

— Le premier qui retrouve son morceau a gagné !

Je l'ai laissé gagner, parce que c'était sa première fois, et puis je voulais que la magie continue.

En relevant la tête, mes yeux ont croisé le miroir. J'avais du chocolat partout et papa aussi. Il a suivi mon regard et s'est mis à rire. Un vrai rire qui vient du ventre. J'en suis restée assommée.

Puis il s'est tourné vers moi et, pour la première fois, j'ai aperçu la porte du coffre-fort entrouverte.

◇ ◇ ◇

Je suis tellement excitée de revoir Henri que j'oublie de frapper et déboule dans sa chambre. Il est en caleçon, le torse plus poilu que celui d'un orang-outan.

— Oups ! Je suis désolée, je...

— Attendez-moi une minute, jeune fille, il me crie à travers la porte, que j'ai aussitôt refermée.

La minute me paraît trop longue tant la question me démange depuis deux jours.

— Entre donc.

— Comment t'as su ? Pour le chocolat ? Ça a marché !

— De quoi parles-tu, très chère ? Quel chocolat ?

— Pour faire fondre l'iceberg...

— Ah ça ? Mais je ne le savais pas.

— Quoi ? Mais ça se peut pas... ça a marché !

– Oh si, ça se peut. Moi, je t'ai dit n'importe quoi. TOI, tu as réussi à donner un sens à ça et... même à avoir des résultats. Bravo !

Parfois, Henri m'énerve au plus haut point.

– T'es qu'un vieux monsieur poilu et sans cervelle !

Je lui tourne le dos, boudeuse.

Pourquoi ne veut-il pas reconnaître ses pouvoirs ? Pourquoi fait-il semblant de n'être qu'un idiot ?

Ça doit être pour ça qu'ils l'ont mis ici. Pour avoir fait semblant d'être ce qu'il n'est pas.

– Tu tournes pas rond, je lui dis, toujours dos à lui.

– Moi ? Je ne tourne pas, moi. J'avance !

Quel drôle de bonhomme.

Mais c'est aussi le meilleur des psys que j'ai rencontrés. Il n'y a qu'à lui parler pour aller mieux.

Il a le silence qui guérit et les mots qui font du bien.

◇ ◇ ◇

J'ai l'impression que Thomas n'est pas dans son assiette, ces temps-ci. Il n'est pas aussi joyeux que d'habitude.

J'en ai parlé à maman et elle refuse de me croire. Pourtant, je SAIS qu'il se passe quelque chose et ça m'inquiète.

J'ai essayé le truc d'Astrid.

Je me suis assise en tailleur, le pouce et l'index qui font un rond – la position pour parler à l'univers.

J'attends. Attends encore. La ligne doit être occupée parce qu'il ne se passe absolument rien, à part mes jambes qui s'engourdissent.

Je commence à croire qu'il faut absolument passer quatre mois sans parler pour réussir.

Je décide d'essayer le silence durant la soirée. Peut-être que j'aurai la ligne pour quelques minutes ?

Je me tais jusqu'à l'heure du souper, puis je rejoins maman, et là, tout se complique. Ne pas parler quand on est seul, c'est facile. Rester silencieux à deux relève d'une épreuve olympique. Maman n'arrête pas de me poser des questions : « Ça va, ma puce ? J'ai fait des spaghettis, t'es contente ? Pourquoi tu ne réponds rien, quelque chose ne va pas ? »

J'ai beau lui sourire et mimer mes réponses, ses sourcils se tire-bouchonnent d'inquiétude.

En dernier recours, j'attrape un crayon et un papier. Je me dessine, moi, et l'univers au-dessus, avec les étoiles et tout. Un téléphone entre les deux. Ses sourcils manquent d'embarquer l'un par-dessus l'autre, tellement elle n'y comprend rien.

Très mauvais.

J'ai peur de me retrouver encore devant un psy à lunettes qui me dira que mes maisons sont croches, mais que c'est très bien.

Tant pis pour les réponses cosmiques, je brise mon silence et lui explique tout. Ça la fait rire. Elle m'embrasse la tête, me dit que sa sœur a toujours des idées farfelues, puis part faire la vaisselle.

J'ai tenu bon à peine une heure, ça me donne droit à combien de crédits avec l'univers ?

C'est en dessinant que j'ai eu ma réponse. Pas avec deux doigts qui se touchent ni après des heures de silence.

Je faisais un dessin pour mon frère et j'ai écrit « Pour Thomas, je t'aime ». J'allais ajouter « Tu me manques » quand ça m'a sauté au cerveau. C'est comme si tout était devenu clair d'un coup de baguette magique.

Je lui manque !

Depuis que je passe une semaine sur deux chez papa, on se voit moins souvent. C'est pour ça qu'il n'est pas dans son assiette !

J'ai couru dans le salon et j'ai réclamé à maman les albums de photos, précisant que c'était extrêmement urgent. J'ai trouvé une photo de moi, une belle. Je l'ai prise et j'ai foncé dans ma chambre pour la mettre sur le dessin.

Voilà, comme ça, il m'aura toujours avec lui. Je me suis aussi coupé une mèche de cheveux que j'ai collée sur la photo. Il pourra les caresser comme lorsque je suis vraiment là.

J'ai quand même remercié l'univers, des fois que ce serait lui qui m'ait envoyé la réponse à retardement. On ne sait jamais, il vaut mieux rester en bons termes avec ces choses-là.

Je suis retournée voir maman au salon et je lui ai demandé de porter mon dessin à Thomas après son travail.

— Il faut ABSOLUMENT qu'il l'ait le plus tôt possible, j'ai insisté avant qu'elle décide de ne pas être d'accord.

Quand on va le chercher samedi, Marina, l'infirmière qui s'occupe de lui, confirme que j'ai eu la bonne réponse.

— Il est redevenu comme avant, elle dit en s'adressant à maman. Plus joyeux, grand appétit...

Je prends Thomas par la main et je l'entraîne plus loin. Il attrape mes cheveux et les frotte contre sa joue.

— C'est toi! C'est toi qui m'as soufflé la réponse, hein?

Il se met à glousser et moi aussi.

— T'es un génie, je lui chuchote à l'oreille. Toi et moi, on peut se parler à distance, et toi, tu le savais...

Comme il commence à baver sur mes cheveux, je les lui enlève de la bouche.

— Je t'en donnerai une autre, si tu veux. Quand la mèche du dessin sera pleine de bave ou que tu l'auras avalée!

On sort attendre maman dehors. Au soleil, que Thomas aime tant.

◇ ◇ ◇

Je me retourne plusieurs fois pour admirer les rayons lumineux du projecteur qui traversent la salle pour faire naître des images sur l'écran.

Papa qui m'emmène au cinéma, c'est tellement spécial. J'ai l'impression que, lorsqu'on va rallumer, je vais me réveiller et réaliser que j'ai rêvé.

Pourtant, c'est vrai. Il m'a même laissée choisir le film !

Mais le plus spectaculaire s'est produit lorsqu'on a traversé la rue pour rentrer. Parce qu'il m'a pris la main et ne l'a pas lâchée.

J'avais des gargouillis dans le cœur et des ailes aux pieds. On a marché sans rien dire, comme un père avec sa fille, et j'ai adoré ça. C'était mieux que n'importe quel cadeau qu'on vous offre dans du papier brillant. Avec la main de papa dans la mienne, j'étais heureuse pour l'éternité. J'aurais voulu qu'on continue de marcher jusqu'à ce qu'il n'y ait plus de route, jusqu'à l'infini.

Ça s'est arrêté avant, juste devant son appartement. On s'est lâchés.

Sauf que quelque chose avait changé. J'avais un papa, un vrai, qui vous tient la main par amour, pas juste pour la sécurité.

◇ ◇ ◇

Je ne porte pas mes souliers vernis parce qu'ils sont devenus trop petits. Maman m'a acheté de nouvelles sandales et Astrid m'a confectionné une robe magnifique.

En m'apercevant, Alex m'entraîne derrière une colonne et m'embrasse sur la joue. J'ai des frissons.

— T'es belle, il me chuchote à l'oreille.

Lui aussi est craquant en pantalon noir et chemise bleue.

Mamie et son Prince charmant sont en train de tournoyer sur la piste de danse. Être si amoureux à leur âge, ça vaut bien un mariage.

Les regarder valser me fait penser aux mots d'Astrid, qui dit que la vie est un château de cartes, toujours dans un équilibre fragile et fascinant.

Et puis, c'est peut-être mieux de mourir la bague au doigt ? Je chasse vite cette pensée de mon esprit.

Parfois, je me questionne encore pour savoir si mes morceaux sont à la bonne place, si je tourne rond. Alors j'entends Henri pouffer et dire que je ferais mieux de tourner carré, que c'est plus original. Ça non plus, ce n'est pas très normal... Entendre des gens absents me répondre. Astrid dit que c'est simplement ma sagesse intérieure. Mais alors, pourquoi elle a la voix d'un vieux fou ?

Alex m'embrasse, sur le coin de la bouche cette fois-ci, et mon cœur fait la toupie à mille à l'heure. Je prends sa main et l'entraîne dehors.

La nuit est tombée pendant qu'on était occupés à célébrer l'amour qui n'a pas d'âge. En tout cas, c'est ce que Charles a dit.

Il y a un lac au fond du jardin et nous nous assoyons au bord.

Soudain, j'entends des petits cris.

— Je suis là, Thomas !

— Li !

Quand je vais quelque part, il y a toujours ma moitié qui me suit.

Mon frère s'assoit tout contre moi et me prête un peu de sa bave en signe d'affection.

Je ne crois pas pouvoir être plus heureuse. On est tous là.

N'importe quelle tornade peut s'abattre, elle ne pourra pas m'enlever ça.

Je suis réunie.

Suivez les Éditions Stanké sur le Web :
www.edstanke.com

Cet ouvrage a été composé en EideticSerif 11/13,25
et achevé d'imprimer en décembre 2013 sur les presses de
Imprimerie Lebonfon, Val-d'Or, Canada.

procédé          30% post-       archives
sans chlore      consommation    permanentes